D1132165

EN LAS REDES DE LA NUEVA ERA

EN LAS REDES DE LA NUEVA ERA

Will Baron

ASOCIACION PUBLICADORA INTERAMERICANA

BELICE — BOGOTA — CARACAS — GUATEMALA — MEXICO
NAMA — SAN JOSE, C. R. — SAN JUAN, P. R. — SAN SALVADOR
SANTO DOMINGO — TEGUCIGALPA

Título de la obra original:
Deceived By the New Age

Dirección editorial: Mario A. Collins
Traducción: Félix Cortés A.
Redacción: Javier Hidalgo
Portada: Meylan Thoresen

Primera Edición: 1992

Asociación Publicadora Interamericana
1890 N.W. 95th Ave.
Miami, Florida, 33172
Estados Unidos de Norteamérica

Impreso en Colombia por:
EDITOLASER

Impreso en Colombia
Printed in Colombia

AGRADECIMIENTO

Quiero expresar mi gratitud al personal del Instituto de Escritores de la Universidad de Biola por su ayuda que hizo posible que la idea de escribir este libro se convirtiera en un manuscrito aceptable. Vaya mi aprecio especial para Susan Titus de Biola y a Wightman Weese de la Tyndale House Publishers por sus valiosas sugerencias y palabras de ánimo.

Asimismo, expreso mi gratitud a todos aquellos que han orado por mí desde que volví a Cristo. Agradezco de manera especial al pastor Siegfried Neuendorff y a su esposa, de Redondo Beach, por todo el apoyo y aliento que me dieron cuando salí del redil de Satanás.

Contenido

Prólogo

El libro que el lector tiene en sus manos es extraordinario, no por su belleza literaria, sino por la importancia de su contenido. El tema fluye de la experiencia vital del autor. Uno se estremece cuando descubre que una sencilla actividad, que se puede estar realizando sin concederle mayor importancia, implantó en la mente del autor, cuando era un adolescente, un poder que eventualmente lo condujo a las redes de la Nueva Era.

El autor narra su historia y da su testimonio personal con el deseo expreso de que sirvan como una voz de alarma. Su preocupación y temor se basan en la comprensión de que millares de personas pueden estar ahora mismo empezando a deslizarse por la pendiente que conduce a un abismo de esclavitud del cual resulta muy difícil escapar. El lector mismo puede ser uno de esos millones.

Esta realidad da a este libro su extraordinaria importancia. Las redes de la Nueva Era pueden estar cerrándose sobre usted mientras busca salud holística, o sobre sus hijos adolescentes mientras ven su película favorita en el televisor, o sobre su hijo de cinco años en la escuela de educación preescolar donde usted lo acaba de inscribir confiadamente.

No hay posturas sensacionales aquí, ni suposiciones. El autor recibió comunicaciones de potencias espirituales cuyo poder engañoso y seductor resultó irresistible. Lo alarmante es que el método mediante el cual recibió dichas comunicaciones, la meditación, lo practican millones de personas en todas las esferas de la vida, recomendado por psicólogos de reconocido prestigio, por especialistas en seminarios para tener más éxito en la vida pagados por la empresa donde usted trabaja, o por ministros religiosos desde el púlpito. Incluso hay manuales de meditación para niños.

En otras palabras, el mundo está padeciendo una verdadera invasión espiritual. El autor de este libro asegura que están recibiendo mensajes de espíritus guías dirigentes religiosos, políticos, hombres de negocios, filántropos y pensadores orgullosos de su independencia intelectual.

El término Nueva Era sirve más para ocultar el significado y la naturaleza de este movimiento que para explicarlo. Hay quienes creen que surgió en la década trágica de 1960; pero, como dice Kenneth Wade, en su libro *Secrets of the New Age* (Secretos de la Nueva Era), en realidad es "la última expresión de un movimiento que ha estado activo de varios modos desde hace miles de años". Creemos que es el último esfuerzo de Satanás para engañar al mundo.

Si usted se siente tranquilo y seguro, desconfíe. Puede ser que la serpiente antigua que se llama diablo y Satanás tenga fijos sus malignos ojos sobre usted y sobre sus hijos desde una prestigiosa clínica de cuidado de la salud, desde una sala de arte, desde la pantalla de la televisión, desde su estación de radio FM favorita, desde un seminario de superación personal o desde algunas actividades de su iglesia. La Nueva Era ha invadido todos los aspectos de la vida. Es un sistema de engaño mundial.

Si usted todavía tiene sus reservas al respecto, le sugerimos leer este libro que ponemos en sus manos con el sincero deseo de que le sirva de advertencia.

Los editores

AL LECTOR

Este no es un libro de cuentos ni fue escrito para entretener a nadie. La seriedad de su contenido demanda que usted, que está por comenzar a leerlo, tome en cuenta la importancia de:

Primero: Leer y entender el contenido del **Prólogo**.

Segundo: Investigar cuidadosamente el material de las tres secciones del **Apéndice**, las cuales no constituyen un agregado suplementario de la obra, sino que son su epílogo indispensable.

Tercero: No dejarse atrapar por la "red" de *la curiosidad.*

1

Cristianos en las redes de la Nueva Era

Arrodíllate. Yo soy Jesucristo y voy a sanarte!

Yo escuchaba fascinado el relato de Muriel. Ella estaba de pie frente a la clase en el Centro de la Nueva Era y describía una increíble experiencia nocturna que había tenido recientemente.

—Les digo la verdad —continuó muy emocionada—. El estaba allí, de pie, en medio de mi recámara, aunque la había cerrado con llave, y me ordenó que me arrodillara. Si la gente piensa que Jesús es un tipo débil y flacucho, se llevarán una gran sorpresa. Mide más de dos metros de estatura, tiene un aspecto imponente y es bien parecido. ¡Es un ser muy poderoso! —agregó con mucho énfasis.

Comencé a sentirme incómodo mientras escuchaba el relato de Muriel. Rubia y muy atractiva, era como de unos 60 años y lucía alta y esbelta en su llamativo vestido azul. Con el rostro radiante de gozo, la fundadora y directora de nuestro Centro describió lo que ocurrió después.

—Salí de la cama y me arrodillé frente a Jesús. El puso sus manos sobre mi cabeza y me dio su bendición. Luego se volvió, caminó derecho y traspuso la sólida puerta cerrada con llave de mi cuarto.

Muriel comentó como la cosa más natural del mundo:

Se había ido Simplemente desapareció en el corredor.

Era la segunda vez que oía el relato de Muriel referente a la visita de "Jesús" a su cuarto en el hotel. Después de su experiencia comenzaron a producirse muchos cambios en nuestra pequeña organización metafísica llamada *Camino Luminoso*. Yo me sentía cada vez más confuso. El énfasis en la Nueva Era me inquietaba.

Y no era que me resistiera a creer la experiencia de Muriel. Al contrario, aceptaba su historia como un hecho. Después de todo, yo era miembro de la junta directiva del Centro y había conocido a Muriel durante muchos años. Era una mujer muy espiritual y nunca la había oído mentir ni exagerar las cosas. Lo que me hizo sentir incómodo fue su nuevo enfoque sobre la Biblia.

Muriel era una médium de la Nueva Era, o médium espiritista, cuando fundó el *Camino Luminoso* a principios de la década de 1960. Poco después de las "visitas de Jesús" en 1985, ella me comunicó un mensaje del "espíritu santo" diciendo que yo debía tirar todos mis libros de ocultismo y comenzar a estudiar la Biblia en lugar de ellos. Naturalmente, no me sentía dispuesto a seguir su consejo y a deshacerme de mis preciosos libros esotéricos.

Yo había sido miembro del *Camino Luminoso* durante cinco años y amaba las enseñanzas metafísicas. Con el corrrer de los años había tenido muchas experiencias espirituales, algunas tan importantes para mí como la "visita de Jesús" lo era para Muriel. Por ejemplo, más o menos un año después de mi primera visita al *Camino Luminoso* me hice devoto de un notable Maestro hindú budista llamado Djwhal Khul. ¡Tras relacionarme durante cuatro años con Djwhal Khul*, no podía entender por qué habría de convertirme repentinamente en un seguidor de Jesucristo y quemar todos mis libros de ocultismo!

Muriel había dicho que los libros metafísicos sólo eran verdades a medias y que la Biblia era una fuente superior de sabiduría divina. Pero yo era renuente a involucrarme en un cristianismo de esta clase.

Poco a poco llegué a aceptar el hecho de que "Jesús" había tomado el mando de nuestro Centro y que yo debía aceptarlo como mi Maestro. Compré una Biblia y comencé a asistir a una clase de estudios bíblicos semanales y grupos de oración que se daban en vez de las clases de metafísica.

Las enseñanzas expuestas en el *Camino Luminoso* se transformaron en una curiosa mezcla de misticismo de la Nueva Era y cristianismo bíblico. Nos considerábamos como cristianos de la Nueva Era. Incluso comencé a decirle a la gente que era un cristiano nacido de nuevo. Después de todo, había abandonado a mi Maestro hindú y había acepta-

---

* Espíritu satánico considerado como uno de los "Maestros" guías de la Nueva Era, popularizado por Alice Bailey, la conocida médium espiritualista aclamada por muchos de sus adeptos como una profetisa de la Nueva Era. *N. de la R.*

do a "Jesucristo" como mi Maestro y salvador.

Durante mis momentos de meditación, podía sentir que "Jesucristo" y el "Espíritu Santo" me inspiraban a través de la voz de la conciencia, exactamente como Djwhal Khul lo había hecho anteriormente. Después de un tiempo, me convertí en devoto de este "Jesús". El dominó mi vida por completo.

Se me dijo también que asistiera regularmente a una iglesia cristiana de modo que pudiera conocer a nuevos amigos e interesarlos en la meditación y otras ideas menos ofensivas de la Nueva Era, disfrazadas en sólidos términos bíblicos.

Evitando todo cuanto pudiera parecer muy controversial, presenté sutiles sugerencias aquí y allá. Encontré a muchas personas bastante dispuestas a escuchar mis interesantes propuestas. Por ejemplo, un pastor de una congregación evangélica me dijo que sería bueno que principiara un grupo de meditación en su iglesia si podía hallar algunas personas que estuvieran interesadas.

Dos meses después de la misteriosa visita de "Jesucristo" a la directora del Centro de la Nueva Era, experimenté una dramática conversión al cristianismo auténtico y descubrí que el "Jesús" que yo estaba siguiendo no era el Jesús real, el Hijo del Dios Todopoderoso. *Fue algo terrible descubrir que, como cristiano de la Nueva Era, había estado siguiendo a falsos profetas y practicando falsas enseñanzas que pretendían ser revelaciones de sabiduría de parte de Dios.*

Es posible que el lector se pregunte, ¿Qué o quién se le apareció a Muriel en su cuarto del hotel? ¿Fue su imaginación? ¿O fue un demonio disfrazado haciéndose pasar por Jesús?

Considerando la última posibilidad, puede ser que usted no crea en la existencia de ángeles satánicos. Cuando recién creí pasar del ocultismo al cristianismo, también pensaba de ese modo. Suponiendo que los ángeles malos eran sólo un mito, jamás se me ocurrió ni siquiera remotamente que alguna vez me hallaría bajo el control de uno de ellos. Sin embargo, no hay duda de que un poder definido tomó la dirección de nuestro Centro y de mi vida personal. Dios permitió que tuviera una profunda e increíble experiencia aleccionadora antes de ser arrancado de las garras de las tinieblas y llevado a la verdadera luz de una relación real con Cristo.

Los cristianos seducidos por la Nueva Era

Varios meses después de haber sido rescatado de la Nueva Era y de la poderosa arma que constituye el cristianismo falsificado que enseña, di el testimonio de mis experiencias a un gran grupo de cristianos en una reunión campestre. Les hablé de cuán fuertemente atrapado estuve en la red del engaño perpetrado por el movimiento cúltico de la Nueva Era y de sus esfuerzos por fusionar la filosofía oriental con el cristianismo.

Después de la reunión una pareja de mediana edad se me acercó. Con una expresión de tristeza en el rostro el padre me dijo:

—Nuestra hija fue siempre tímida y nerviosa. Pero hace poco empezó a asistir a unas clases de yoga. Ahora también practica la meditación para encontrar paz y relajamiento. Y ella nos ha dicho que da resultado. Poco a poco se está convirtiendo en una devota de las ideas de la Nueva Era y ya no escucha nada de lo que le decimos, aunque todavía canta en el coro de nuestra iglesia. ¿Qué podemos hacer?

Es posible que usted tenga algún pariente relacionado con la Nueva Era. Este movimiento está atrayendo bajo su influencia a muchos cristianos en forma muy sutil. Yo también fui una de sus víctimas de joven. Aun cuando había sido criado en una familia cristiana y asistía a la iglesia semanalmente, fui engañado por las promesas de salud, felicidad y realización del movimiento de la Nueva Era. Fui completamente desviado, y poco a poco me sumergí profundamente en el mundo del ocultismo. Y lo mismo puede ocurrirle a cualquiera: a usted, su familia, o sus amigos.

Por ejemplo, mi propia relación activa con el movimiento de la Nueva Era comenzó cuando me uní a una organización internacional llamada Salud para la Nueva Era, que tenía su sede en Londres. Yo ni siquiera sabía lo que significaba el término Nueva Era, ni andaba tras guías espirituales ni prácticas ocultistas. Lo único que me interesaba era encontrar información acerca de las técnicas curativas debido a un problema de salud que tenía. Pero mi ingenuo interés me condujo eventualmente a la senda de la sumisión a los poderes engañosos. Al parecer, mi formación cristiana no pudo darme el conocimiento que me habría puesto en guardia contra los peligros del curso de acción que estaba tomando.

El conocimiento, el éxito y la unidad con "Dios", son las promesas que el movimiento de la Nueva Era presenta a la víctima potencial que está a punto de entrampar. Y millares de individuos —cristianos y ateos— están siguiendo a este señuelo sin sospechar nada. Muchos cristianos ortodoxos, incluyendo algunos pastores, han probado la carnada de la Nueva Era y han encontrado que es "bueno para comer, y agradable a los ojos y... codiciable para alcanzar sabiduría" (Génesis 3:6).

Durante el tiempo que fui un "cristiano" de la Nueva Era, me resultó muy agradable descubrir que algunos predicadores cristianos ya enseñaban varias de las creencias de la Nueva Era. Al escucharlos expresar gozosos algunas declaraciones que estaban en armonía con lo que yo había aprendido en mi entrenamiento metafísico, pensé que estos predicadores debían haber recibido información directamente del reino espiritual, o posiblemente estaban inspirados por los escritos de la Nueva Era que circulaban ampliamente. El mismo pastor de ustedes puede haber expresado extrañas interpretaciones de pasajes bíblicos y ustedes no estaban muy seguros de dónde las había tomado. Las enseñanzas y prácticas de la Nueva Era se han extendido tanto que la mayoría de los cristianos están muy propensos a ponerse en contacto con ellas en una forma u otra. Con mucha frecuencia las personas no están conscientes de aquello a lo cual se exponen. Por ejemplo, es probable que usted haya consultado con autoridades médicas que practican técnicas de salud novedosas e interesantes, y usted ni se imaginó que tales técnicas estaban orientadas hacia la Nueva Era.

Tal vez algún miembro de su familia se ha interesado en la astrología, como Nancy Reagan, pensando que sería benéfica, o al menos una diversión inofensiva. Estoy seguro que la esposa del popular ex presidente no se daba cuenta que la astrología es una antigua práctica de adivinación originaria del paganismo babilónico y que se prohíbe expresamente en la Biblia.

Es posible que usted haya buscado orientación de un consejero ignorando que se trataba de un psicólogo de la Nueva Era, y estuvo expuesto, sin saberlo, a una sutil telaraña de engaño.

Si usted busca una relación más estrecha con Dios, quizá la así llamada *ciencia de la meditación* despierte su interés. Es posible que se haya preguntado si la meditación será una buena práctica para los cristianos.

En mi caso lo primero que hice fue practicar la meditación introspectiva de la Nueva Era en una clase del centro metafísico *Camino Luminoso*. Algunas personas se inician en la meditación de la Nueva Era en sus mismas iglesias. Como mi parienta Jean, por ejemplo. Ella es secretaria de una gran editorial cristiana. Al sentarse en su escritorio a leer uno de mis manuscritos comenzaron a surgir varios interrogantes con respecto a algunas de sus actividades recientes.

—Asisto a un estudio bíblico —me informó Jean— en el cual el Maestro pide a los miembros de la clase sentarse tranquilamente y tratar de oír la voz de "Dios". Me pregunto si no será esto el principio de lo que dices en tu libro.

—Ten la plena seguridad de que así es —le contesté—. Me suena como un caso típico de invasión de las técnicas de la Nueva Era en tu propia iglesia. Este tipo de meditación introspectiva no se encuentra en la Biblia, y nunca ha sido parte de las actividades cristianas ortodoxas.

Es una práctica hindú, indeseable y potencialmente peligrosa.

Conferencias ocultistas en la iglesia metodista

Algunas iglesias de la zona de la ciudad en que vivo le dan entrada *abiertamente* a los conferencistas de la Nueva Era y sus filosofías impías. Tomemos, por ejemplo, una gran iglesia metodista en el área de Los Angeles. Ha alquilado valientemente su santuario a Benjamín Creme, la renombrada celebridad de la Nueva Era, para presentar sus conferencias de la Costa Occidental con respecto a la segunda venida de "el Cristo" al planeta tierra. Creme es un ocultista que puso un anuncio a toda página en dieciocho de los más prestigiosos periódicos del mundo en 1982, anunciando que "el Cristo" había regresado y estaba viviendo en Londres.

Jesús advirtió que actividades tales como las que realiza Creme acontecerían en el tiempo del fin:

"Entonces, si alguno os dijere: Mirad, aquí está el Cristo, o mirad, allí está, no lo creáis. Porque se levantarán falsos cristos, y falsos profetas, y harán grandes señales y prodigios, de tal manera que engañarán, si fuere posible, aun a los escogidos. Ya os lo he dicho antes" (Mateo 24:23-25).

Note que incluso los elegidos están en peligro de ser engañados. Yo espero que su pastor no alquile su iglesia a un agente de la conspiración del Anticristo.

¿En verdad son tan malas las filosofías de la Nueva Era?

Al principio me sentí agradecido de formar parte del movimiento de la Nueva Era. Sus enseñanzas eran una respuesta para muchos de mis interrogantes y me daban esperanzas para el futuro. La Nueva Era parecía ofrecerme todo aquello que había estado buscando. Me sentí parte de un movimiento, parte de un grupo de personas que buscaban sinceramente mejorar la calidad de vida de este planeta y poner su ser en armonía con Dios.

Llegué a creer que si aplicaba las enseñanzas y las técnicas de la Nueva Era a mi modo de actuar, mis habilidades y talentos se desarrollarían hasta el límite de mi potencial y así podría realizarme y alcanzar la felicidad.

Por ejemplo, comencé a practicar la meditación con la esperanza de recibir iluminación: un engaño muy común que más tarde lamentaría profundamente. Durante esta práctica llegué a darme cuenta de que era posible ponerse en sintonía con una voz interior, que interpreté erróneamente como la voz de la conciencia, que parecía dar consejos sabios. Conocida por los miembros de la Nueva Era como "el yo superior", no era algo así como una voz extraña que me hablaba, sino muy parecida a la voz de mi propia conciencia —¡increíble sutileza diabólica!—, que me hablaba con claridad especial y carisma, en forma novedosa y distinta. La nueva conciencia recién descubierta parecía operar en un nivel de sabiduría superior a mis pensamientos lógicos regulares. Los miembros de la Nueva Era consideran a esta voz interior como una expresión de la voz de "Dios", una manifestación del "Espíritu Santo" hablando a través de la mente. Yo estaba encantado de descubrir esta fuente de sabiduría "divina" dentro de mi propia mente mientras me preparaba a hacer muchos cambios "saludables" en mi vida.

Sin embargo, después de algunos años de aparentes bendiciones, mi vida se convirtió gradualmente en una pesadilla; me sentí esclavo de los dictados procedentes de la voz interior de mi conciencia pervertida. Por ejemplo, mis esfuerzos por asegurar la prosperidad financiera prometida por los profetas de la Nueva Era resultaron en deudas económicas a medida que era forzado por mi conciencia a hacer grandes contribuciones para ayudar a financiar las actividades del *Camino Luminoso* y sus grandes anuncios para promover el "cristianismo" de la Nueva Era. Cualquier insubordinación daba lugar a una severa depresión que yo atribuía a mi separación de "Dios", puesto que había sido desobediente a su voluntad. Tan pronto como daba la cantidad de dinero que se me había mandado "donar" la intensa depresión desaparecía inmediatamente. Esta sensación se repitió muchas veces; obviamente estaba siendo controlado por una fuerza extraña y terrible, como el títere que depende de la cuerda.

La Nueva Era es una secta semejante a otras. Allí no importa que usted sea esclavo de la voz interior de la conciencia, de los espíritus guías, o de los líderes de la organización; el proceso de intimidación, culpabilidad y esclavitud es similar. Sin embargo, el engaño progresivo fue tan sutil, que nunca sospeché que estuviera siendo manipulado por un tipo de poder maligno.

Promesa de inmortalidad

Llegué a alimentar la esperanza de que el cristianismo de la Nueva Era me daría inmortalidad: la vida eterna prometida por Cristo. No me daba cuenta que Satanás estaba usando las enseñanzas de la Nueva Era para perpetuar la antigua mentira dicha a Eva en el Edén: "No moriréis" (Génesis 3:4). Al creer esta mentira, tuve que aceptar interpretaciones distorsionadas de las expresas declaraciones bíblicas de que "así la muerte pasó a todos los hombres, por cuanto todos pecaron" (Romanos 5:12) y que "la paga del pecado es muerte" (Romanos 6:23).

Yo había creído que todas las avenidas religiosas conducirían finalmente a Dios, ya sea que estuvieran coloreadas de hinduismo, budismo, o de cualquier otra filosofía. La idea de que todas las sendas espirituales conducen a Dios es una de las doctrinas fundamentales de la Nueva Era.

Pero la Biblia dice algo diferente:

"Porque ancha es la puerta, y espacioso el camino que lleva a la perdición, y muchos son los que entran por ella; porque estrecha es la puerta, y angosto el camino que lleva a la vida, y pocos son los que la hallan" (Mateo 7:13-14).

Cuando fui rescatado de las trampas de la Nueva Era me sorprendí al darme cuenta de que aunque yo oraba y predicaba en el nombre de Jesús, en realidad estaba viajando por la amplia vía que conduce a la destrucción. Quizá usted piense que es imposible que alguien predique y ore en el nombre de Jesús y todavía esté bajo el control de los poderes de las tinieblas.

Cristo predijo que se levantarían falsos Maestros que predicarían *en su nombre*:

"Muchos me dirán en aquel día: 'Señor, Señor, ¿no profetizamos en tu nombre, y en tu nombre echamos fuera demonios, y en tu nombre hicimos muchos milagros?' Y entonces les declararé: 'Nunca os conocí; apartaos de mí, hacedores de iniquidad'" (Mateo 7:22-23).

Usted debe saber algo acerca de mis actividades pasadas ya que en este mismo momento hay otros que están haciendo exactamente lo que yo hacía. Debe identificarlos antes que lo lleven a usted o a su iglesia a creer falsas doctrinas o a caer en prácticas ocultistas.

Antes de referirme a cómo fui seducido por la mente maestra, me gustaría informar brevemente acerca de mi origen.

La desaparición de Dios

Nací hace 39 años en el seno de una familia cristiana que asistía fielmente a la iglesia cada semana. Mi padre fue un predicador laico en nuestra pequeña congregación. Aun cuando creía que Jesús era el Hijo de Dios, poco a poco desarrollé una actitud de apatía y frialdad hacia el cristianismo.

Creo que gran parte de esa actitud se puede atribuir al medio en que crecí: una ciudad pequeña situada en la región industrial del norte de Inglaterra. Las chimeneas de las fábricas vomitaban sin cesar humo negro hacia un cielo sucio y nublado. La gente parecía orientada hacia un estilo de vida secular y grosero. Entre mis amigos la religión ni siquiera se mencionaba, a no ser para hacerla objeto de burlas y expresiones profanas. Los Maestros de las escuelas nunca mencionaban a Dios y todos parecían pasarla bastante bien sin ninguna religión.

Poco a poco comencé a deslizarme hacia las prácticas y actividades mundanas de mis amigos. Al principio fueron cosas sin importancia, pequeñas travesuras como fumar y robar licor de la despensa de mi tío. Pero más seria era la tendencia a no pensar nunca en Dios ni en Jesús, ni en el papel que jugarían en mi vida.

Mientras más me involucraba en las actividades de mis amigos, que eran predominantemente profanas, más llegaba a catalogar a la religión como algo conveniente para mis padres, pero que nada tenía que ver conmigo. Aun cuando creía que Jesús existió, como enseña la Biblia, no tenía ninguna relación especial con él. Y sin embargo, aunque parezca sorprendente, me sentía seguro de que si moría, iría al cielo.

Mi alienación de los valores cristianos se intensificó en la escuela secundaria, donde mis Maestros me exponían a fascinantes ideas tales como las teorías de la evolución, de la reencarnación, y la percepción extrasensorial.

Recuerdo a un Maestro en particular. El señor Hardinge parecía tener alrededor de treinta años. Era un hombre fornido y de mediana estatura, de cabello rojizo, nítidamente recortado al estilo de los Maestros de escuela secundaria británicos. Pero me parecía diferente de la mayoría de los Maestros. Un tipo un tanto solitario, envuelto en su sobretodo beige, que podía verse sentado solo en los cafés del pueblo. Aun cuando yo era un estudiante del área de ciencias, su clase de filosofía, que daba dos veces por semana, me parecía muy interesante.

"Freud dice", era una de las frases más comunes del señor Hardinge al presentarnos las ideas de Sigmund Freud, el famoso psicoanalista vienés.

—Freud dice que el subconsciente del hombre es una poderosa fuerza en su vida —comentaba el profesor Hardinge. El creía que todas las características de nuestros motivos y emociones son el resultado de la obra del inconsciente.

A mí me interesaban profundamente las declaraciones del profesor Hardinge. En su clase, o en cualquier otra de las que tomaba en la secundaria, con frecuencia experimentaba terribles penosas ansiedades y temores. A veces sentía que el pecho se me oprimía y una oleada de claustrofobia descendía sobre mí como una pesadilla, provocando en mí el poderoso impulso de abandonar el salón de clases sin causa aparente. Yo sabía que este sentimiento era irracional, pero no podía explicar mis temores.

Los problemas comenzaron una mañana cuando sólo tenía 16 años de edad. Estando en una asamblea de la escuela de repente fui invadido por ese súbito ataque de pánico. Durante varios meses había venido sintiendo una tensión y un estrés crecientes dentro de mí. Pero aquella mañana en particular la tensión pareció estallar en un ataque de temor y ansiedad que difícilmente pude controlar. Mi pecho se comprimió como si una banda de acero se hubiera atado alrededor de él y sentí que me desmayaba por falta de aire. Me parecía estar bajo una nube negra que anunciaba una calamidad inminente, y tuve que luchar para mantener mi mente en orden. Utilizando cada gota de mi fuerza de voluntad luché contra el impulso de salir corriendo y me obligué a mantener la compostura hasta que terminó la asamblea.

Después de este primer ataque de pánico nunca volví a ser la misma persona. Los últimos años de mi adolescencia parecieron estar acosados por una incesante ansiedad. El médico de nuestra familia me recetó tranquilizantes y me aconsejó que no me preocupara. Me desilusionó cuando no pudo dar una explicación significativa del mal que me aquejaba.

—¿Por qué me siento así? —le pregunté.

—Pienso que has estado trabajando demasiado —me sugirió sin darle mayor importancia. Su vaguedad me hizo desconfiar de su diagnóstico. Para ser sincero, el excesivo estudio pudo haberme empeorado, pero me negaba a aceptar que fuera la causa básica de mi mal. Intuitivamente comprendí que algo había cambiado en mi sistema nervioso cuando llegué a la adolescencia, pero no sabía qué hacer para corregirlo.

Mientras escuchaba la filosofía freudiana del profesor Hardinge me pregunté si mi ansiedad no estaría en mi inconsciente, como Freud lo propone en sus teorías psicológicas. Quizá sus libros podrían darme algo de luz para comprender mis extraños sentimientos de tensión y alienación.

Habiendo sido motivado a leer algunos de los libros de Freud, comencé a cultivar el concepto de que todos los problemas humanos podían explicarse en términos de disfunciones asociadas con el inconsciente. Pensé que tal vez la religión misma era una neurosis, una condición de debilidad psicológica, una máscara que encubría una falta básica de madurez. Este era, por supuesto, el punto de vista de Freud.

Esto me llevó a cuestionar la existencia de Satanás. ¿Eran las tentaciones en realidad procedentes de algún poder maligno que manipulaba psíquicamente a su víctima, como enseñaba la iglesia? Freud expresaba la idea opuesta de que la actividad del subconsciente era la responsable de los pensamientos e impulsos conflictivos. Creía que las acciones antisociales e irracionales de una persona estaban fuertemente influidas por los recuerdos inconscientes asociados con las experiencias deprimentes de la niñez llamados traumas.

Comencé a concordar con las ideas de Freud y consideré a Satanás como una representación simbólico-mítica del interior caótico del hombre con todos sus impulsos destructivos. Para comprender bien todo esto uno necesita bastante discernimiento psicológico.

Después de leer cuidadosamente un par de libros de Freud orienté mis esfuerzos una vez más hacia mis estudios académicos. Mis temores y ansiedades habían desaparecido en gran medida y mi interés en la psicología también disminuyó. Sin embargo, las ideas freudianas habían afectado profundamente mi actitud hacia la religión.

—Will, ¿irás esta noche a la velada especial de los novatos? —me preguntó Oscar, mientras se quitaba sus lentes de gruesos aros negros en el ascensor. Oscar era un amigo del primer año de la universidad que vivía en el mismo piso del dormitorio universitario. Era mi primera semana en el curso de licenciatura en física.

—¿Qué clase de reunión es esa? —le pregunté con curiosidad, pues nunca antes había vivido en una ciudad grande.

—Oh, es un espectáculo de *strip-tease* con mucho licor. La asociación estudiantil ha organizado un *show* especial para todos los novatos. ¿Por qué no vienes con nosotros?

Yo sabía que aquello era malo. Pero aun cuando no estaba realmente interesado en la sugerencia, sentí que debía buscar alguna clase de emoción para pasar la velada y olvidarme de las preocupaciones y la presión propia de los inicios de la vida universitaria.

—Creo que iré con ustedes. Parece que va a estar bueno —balbucí, sintiendo un nudo en la garganta. Como estudiante universitario deseaba extender mis fronteras para saber qué sucedía detrás de las brillantes luces de la ciudad metropolitana de Mánchester. Dominado por un espíritu de rebelión, no quería que nada ni nadie me impidiera pasar un "buen rato"; especialmente no quería que mi conciencia me molestara.

Por pura curiosidad, varias semanas después fui a ver películas pornográficas en dos ocasiones. Fue algo terriblemente aburrido, pero al menos sentía que estaba ejercitando mi iniciativa y madurez en la búsqueda de alguna excitación que rompiera la monotonía de la vida estudiantil.

Los bares de la universidad y los conciertos de rock de los fines de semana atraían bastante mi atención. Sin embargo, incluso éstas me resultaban tediosos a menos que me tomara un par de cervezas para desinhibirme un poco. A medida que la intoxicación avanzaba, mis normas morales, bastante relajadas, me permitían divertir a Oscar y a nuestros compañeros con chistes de tono subido con el propósito de obtener su reconocimiento.

Cualquier relación que hubiera tenido con Cristo se había esfumado para entonces; sin imbargo, mi "cuerpo" todavía asistía a la iglesia una vez por semana a fin de evitar problemas con mi familia. A semejanza del *Dr. Jekyll y Mr. Hyde*, llegué a tener una doble personalidad: me ponía un ropaje de dignidad en la iglesia, pero vivía una vida profana fuera de ella.

Cuando terminé mis estudios universitarios aspiraba a realizarme en una buena carrera y pasarla bien. Llegué a ser ingeniero diseñador de maquinaria para una gran fábrica textil, y me mantenía muy ocupado ganando y gastando dinero, tratando de satisfacer una insaciable sed de emociones fuertes con motocicletas, carros, viajes, fiestas y cantinas.

Cuando cumplí 24 años decidí abandonar las visitas semanales a la iglesia, a pesar de mis temores de que mi familia me tratara como a un apóstata. No fue fácil dejar la iglesia. En realidad estaba temeroso de que el Evangelio eterno fuera verdadero después de todo, y que mi vida pudiera terminar en la condenación eterna. Después de varias semanas cruciales de dubitaciones decidí finalmente no asistir a la iglesia. Razoné que me "tomaría unas vacaciones" de toda religión por algún tiempo, para ver cómo me sentía. Después, probablemente, volvería en pos de mis creencias.

La vida irreligiosa parecía mucho mejor que las pretensiones del pasado; —al menos ahora había congruencia entre mis convicciones y mi comportamiento. Por ejemplo, noté que ahora podía proferir maldiciones y articular expresiones pornográficas sin el más leve rubor y me sentía completamente bien de ser como me diera la gana.

"Comamos y bebamos, que mañana moriremos" se convirtió en el lema que se ajustaba a mi vida. Pero pronto surgió un nuevo problema. No morí, y me resultaba cada vez más difícil divertirme independientemente de cuán activa fuera mi vida social. Y cuán desesperadamente activa era mi vida: el una vez tímido estudiante de secundaria estaba ahora involucrado en todo, desde el motociclismo hasta el alpinismo, desde los oscuros bares hasta los festivales de rock. Sin embargo, después de estas actividades, el antiguo sentimiento de insatisfacción subía reptando hasta mi corazón.

Me llegó una carta de mi hermana mayor. "¿Por qué no vienes y vives con nosotros en Canadá? —decía la carta—. Podrías iniciar una vida nueva en esta tierra de oportunidades". Mi hermana y su esposo habían emigrado a Toronto varios años antes. La invitación me gustó.

Convencido de que yo necesitaba un cambio drástico para salir de mi rutina, acepté su consejo y volé hacia la perspectiva de una nueva vida. Desafortunadamente, mi presencia en un nuevo país no parecía alterar mis sentimientos; además, echaba de menos a mis amigos que se habían quedado en Inglaterra. Y después de unos pocos meses regresé a mi pueblo natal.

Pero ahora me sentía consciente como nunca de mi insatisfacción, y mi depresión aumentaba. Además, las fobias y tensiones que había experimentado en mi adolescencia nunca me abandonaron por completo, y ansiaba sentirme relajado y verdaderamente tranquilo. Al recordar el gran aprecio que mi Maestro de secundaria tenía por Freud, decidí volverme a la psicología como un medio para hallar respuesta a los problemas de mi vida.

Visité muchas veces una biblioteca y pedí prestados varios libros de psicología. En mi fuero interno me preguntaba: ¿podrá dar paz y satisfacción a mi vida la correcta aplicación de esta psicología? Las ideas expresadas en sus páginas parecían muy alentadoras.

Fue entonces cuando un pequeño volumen colocado en un anaquel de aquella biblioteca captó mi atención.

2

Seducido por los poderes psíquicos

Un hombre de apariencia fornida y abundante cabellera negra, el psicoterapeuta Peter Blythe, cambió completamente mi vida. Pero yo nunca lo conocí.

No, él no me orientó por teléfono. De hecho, no sabe nada acerca del increíble impacto que produjo en mi vida, porque nunca se relacionó conmigo. Conozco su apariencia sólo a través de una foto suya que aparece en la contracubierta de su librito titulado *Stress Disease* (la enfermedad del estrés).

Jamás olvidaré este título. Sonaba bastante infantil cuando lo saqué del anaquel de una biblioteca. ¿Ha leído algo que haya alterado completamente su existencia? *Stress Disease* produjo una transformación que me indujo a cambiar de profesión, de residencia en otro país, y a involucrarme profundamente en el culto satánico. El poder de un libro puede ser fenomenal.

Al principio el libro de Peter Blythe parecía ofrecerme esperanza de que mis sentimientos de temor y alienación tenían una explicación. Tal vez podría hallar una solución a mi claustrofobia recurrente que, aunque por ese entonces era leve, de todos modos me molestaba.

En mi búsqueda de sanidad, de sentido y armonía para mi existencia, la primera parte de *Stress Disease* pareció ofrecer interesantes explicaciones con respecto a mis problemas. El libro entró después a una discusión ecléctica de las causas y curas de las enfermedades en general. Introdujo el concepto "holístico" de la Nueva Era, la idea de que el cuerpo, la mente y el espíritu son inseparables, y que cada uno necesita estar en armonía con los otros para producir salud total.

La idea de "salud holística" sonaba bastante atractiva. El concepto de un balance necesario entre el cuerpo, la mente y el espíritu me parecía razonable. Pensé que esto me proporcionaría buenas ideas que luego podría compartir con mis amigos.

Los últimos capítulos presentaban información acerca de algunas técnicas de "terapias alternativas" para enfermedades comunes. Como yo sólo estaba familiarizado con la cirugía y la medicación, quedé fascinado al leer acerca de terapias tales como acupuntura, homeopatía, cirugía psíquica, armonía chakra, nuevo nacimiento, terapia primigenia, reiki, cristales y bioenergética. Las descripciones de estos tratamientos hablaban muchísimo acerca de "energías", "balances" y "totalidad".

Esa fue la primera vez que leí el término "Nueva Era". No tenía la menor idea de su significado. No me interesaba el ocultismo, sencillamente buscaba una mejor salud y satisfacción personal.

Stress Disease menciona el nombre de una organización con sede en Londres, llamada "Salud para la Nueva Era". Deseando aprender más acerca de estas prácticas médicas alternativas, me puse en contacto con ella y arreglé una entrevista con su fundador.

El nuevo shamanismo

El coronel Marcus McCausland estaba sentado en una silla frente a mí. Era el epítome del típico oficial retirado del ejército británico. Vestido en un saco deportivo de paño de lana, era alto, de complexión media. Su postura era tan erguida como la de un soldado cuando está de guardia.

—Estoy impresionado con su conocimiento y sus ideas —me dijo, refiriéndose a nuestra conversación. El, su esposa y yo estábamos sentados en la sala de su casa discutiendo las últimas teorías psicológicas en boga. El propósito de mi visita era conocer su opinión acerca de las nuevas ideas psicológicas que, procedentes de Norteamérica, estaban introduciéndose en Gran Bretaña. Marcus era el director de Salud para la Nueva Era, organización a la cual me había unido hacía poco. Sus palabras fueron bondadosas y consideradas, y sin embargo todavía tenían la firmeza de su disciplina militar.

—Bueno, todavía tengo mucho que aprender —le aseguré a mi anfitrión, respondiendo con modestia a su elogio.

Su organización actuaba como una agencia internacional que recogía y compartía información acerca de las terapias "alternativas", orientadas hacia la Nueva Era. Uno de los intereses especiales de Marcus era la investigación y el tratamiento del cáncer.

—Marcus, estoy convencido de que Will adquirió sus ideas antes de entrar en su vida actual —comentó la señora McCausland mientras levantaba y estiraba sus brazos. Esta declaración, hecha por una dama atractiva y altamente educada, me tomó por sorpresa.

—¿Sugiere usted que yo he vivido una vida anterior? —le pregunté un tanto incrédulo.

—Oh, sí. Estoy seguro de ello —respondió Marcus, como si se refiriera a un hecho militar—. Todos hemos vivido muchas vidas. Estoy seguro que muchas de las buenas ideas concernientes a la psicología que tiene las trajo consigo de su vida pasada.

—Will —interrumpió la señora McCausland—, usted está simplemente volviendo a aprender lo que ya sabía.

Yo me quedé mudo. Aunque anteriormente ya había oído y considerado la idea de la reencarnación, nunca me había encontrado con alguien que hablara acerca de vidas pasadas con tanta franqueza. Y como la esposa de Marcus era una psicóloga profesional muy respetada, me sentía seriamente inclinado a aceptar su reveladora declaración. Usted sabe cómo es esto: uno tiende a confiar en la gente preparada; lo cual hay que reconocer como otra de las redes populares y sutiles de la Nueva Era.

Salí muy animado de la casa de los McCausland y con mucho interés en "mis vidas pasadas" y un renovado optimismo acerca de mi potencial para el éxito en esta vida.

Fui seducido por el movimiento de la Nueva Era poco a poco. Durante los dos años siguientes me puse en contacto con más miembros de este movimiento y leí más literatura que exponía sus ideas. Es muy sencillo ser seducidos por la Nueva Era porque, en principio, hay un interés en las técnicas de terapias alternativas. De hecho, parece ser uno de los principales métodos de reclutamiento usado por los partidarios de este movimiento. Muchos de ellos ofrecen terapia y aconsejamiento a las personas que están en problemas, y luego interesan a sus clientes en las filosofías asociadas con sus prácticas. Muchas veces personas que padecen serias afecciones son atraídas hacia los métodos de sanidad de la Nueva Era, un área potencialmente engañosa. Como buscador de respuestas en el campo de la psicología nunca esperé que mi búsqueda del significado de la vida me condujera a la esfera de las religiones falsas y sus prácticas impías.

De la psicología al misticismo

Si bien conservaba un interés casual en la filosofía de la Nueva Era, lo que en realidad deseaba era eliminar las ansiedades que me torturaban. Si podía lograr una sensación de paz interior, sentía que sería capaz de desarrollar todo el potencial de mi carrera y mejorar mis relaciones personales. Como resultado de la información obtenida en el librito de Peter Blythe me involucré durante los siguientes dos años en actividades tales como aconsejamiento personal, encuentro de grupos, seminarios para desarrollar el potencial humano y talleres de procesos de grupos. Sin embargo, Inglaterra sólo podía proveer información limitada al respecto. Según lo que había leído, Los Angeles parecía ser el lugar más indicado para experimentar esa clase de cosas, de modo que decidí trasladarme a esa ciudad al finalizar la década de los años setenta.

Mi implicación en el movimiento psicológico y de desarrollo de Los Angeles me pareció benéfico para mí al principio. Pero después de más o menos un año, me desilusioné cuando un centro psicológico al cual asistía cerró sus puertas por desacuerdos entre sus fundadores. Comencé a reflexionar en los aspectos espirituales o místicos de mi vida que el libro *Stress Disease* había indicado que debían estar en armonía.

Recuerdo que un día me sentí muy deprimido en la oficina de ingeniería donde trabajaba. Simplemente no sabía qué hacer con mi vida. Mientras hacía el dibujo de ciertas partes de una maquinaria, oí claramente una voz que venía de lo más profundo de mi mente. "¿Qué acerca de tu alma?", preguntó.

Fue como si la voz clara y profunda de mi conciencia me hubiera hablado. La urgencia de confrontar el significado de estas palabras me hizo sentir muy incómodo. Era como si el persistente vacío que había dentro de mí hubiera sido expuesto a la vista de todos.

De cualquier manera, aun bajo la influencia de la psicología secular, yo había seguido viviendo una vida impía. Al reflexionar en lo que la palabra *alma* podría significar, me pregunté si ¿no sería ésta la voz de Dios impulsándome a volver al cristianismo? ¿Necesitaba mi alma ser salvada de la condenación?

Como ya había comprendido que los psicólogos comunes tienen una muy limitada capacidad para comprender la dimensión espiritual de la experiencia y los motivos humanos, me mostraba renuente a volverme a ellos en busca de luz. Siempre decían cosas buenas, parecían muy seguros cuando daban sus conferencias, pero sus ideas y consejos con mucha frecuencia tenían escasos efectos una vez hechos los ajustes necesarios para corregir las más serias debilidades de la personalidad. Después de hacer cambios necesarios en el comportamiento y el estilo de vida, las visitas subsecuentes al psicólogo no parecían ofrecer más que un mero contacto humano. Los buenos amigos pueden dar este tipo de apoyo, si se los tiene.

Aunque la voz interior había usado la palabra *alma*, yo no quería involucrarme en ningún tipo de religión formal, como el cristianismo. Por eso me sumergí profundamente en la Nueva Era.

Movido en parte por mi interés en mis "vidas pasadas", me sentí impulsado a buscar a alguien con habilidad especial que pudiera aconsejarme respecto de mi destino. Deseaba encontrar a alguien como un *shaman* —persona con poder especial, sabiduría y conocimiento—; una persona con profundas habilidades psíquicas, capaz de urgar entre las más recónditas profundidades de mi mente. Aspiraba a consultar a alguien que me pudiera decir exactamente qué necesitaba hacer a fin de cumplir mi destino potencial para esta vida. Deseaba encontrar a alguien que pudiera decirme algo acerca de mi alma, esa parte de mí acerca de la cual la misteriosa voz de la conciencia había llamado mi atención. Quizá, pensaba, podría encontrar a este tipo de sabio consejero en la organización de la Nueva Era de Los Angeles.

Profetas de la Nueva Era y sus poderes psíquicos

Un anuncio periodístico llamó mi atención de manera muy particular. Era como si algo muy dentro de mí respondiera con un sutil impulso de asistir a la feria psíquica que se anunciaba en la revista de la Nueva Era que estaba leyendo. Pensé que quizá la feria psíquica sería un buen lugar donde comenzar mi búsqueda de alguien que tuviera el poder de señalarme mi destino.

Se anunciaba que el evento tendría lugar en un centro metafísico llamado *Camino Luminoso*. Preocupado por la idea de que los psíquicos no fueran más que una pandilla de farsantes, decidí visitar el Centro primero. Si obtenía una buena impresión de él, preguntaría acerca de la posibilidad de tener una sesión de consulta psíquica privada que fuera total y profunda. No quería que un adivino aficionado y barato me leyera la suerte. Yo andaba seriamente en busca de alguien especial.

El día de la feria me dirigí al Pacific Palisades, un suburbio de Los Angeles donde estaba situado el centro ocultista *Camino Luminoso*, en un hermoso edificio comercial del Palisades Highlands, pintoresco valle de las montañas de Santa Mónica. Como nunca antes había estado en un centro semejante, no tenía la menor idea de lo que me esperaba.

Mi entrada fue precedida por el sonido de campanillas tibetanas que repicaron dulcemente cuando abrí la puerta. Las campanas parecían darme la bienvenida al nuevo y encantador mundo del misticismo oriental.

Estantes llenos de libros prolijamente ordenados llenaban las paredes del primer salón. Caminé por toda esa área y entré a la sala principal; mis ojos se fijaron en el piso. Estaba cubierto por una llamativa alfombra de color verde claro. Su destello fluorescente parecía atraerme hacia el interior del salón.

Sentí una extraña sensación de paz en aquel lugar, una atmósfera peculiar e intrigante. Aspiré profundamente y sentí el suave aroma del incienso. Parecía dar al salón cierto aire sagrado.

En la sala estaban cuatro médiums, sentados estratégicamente frente a mesitas individuales. Uno o dos clientes consultaban con los adivinos. Rápidamente observé la escena, puesto que no quería que nadie se diera cuenta que lo que ocurría en aquel salón no me era familiar.

Detrás del mostrador había una dama de mediana edad y estatura, cuyo vestido lucía un hermoso prendedor a manera de adorno floral. Tenía un cabello rubio bien peinado y usaba joyas muy llamativas.

—Hola, desearía ver al director —saludé. La recepcionista sonrió.

—Yo soy la directora. Mi nombre es Muriel. ¿En qué puedo servirle?

Impresionado por su actitud abierta y confiada, la miré más detenidamente. No parecía la clase de persona mística soñadora que yo temía encontrar y que no fuera más que una farsante en busca de dinero, sin ningún poder real.

—Deseo realizar una sesión de consulta psíquica a fondo con usted. ¿Podríamos arreglar eso? —pregunté con precaución.

—Por supuesto —replicó—. ¿Le gustaría hacer una cita para esta próxima semana?

Vacilé un momento antes de contestar, porque empecé a sospechar y a preguntarme qué clase de institución sería aquélla. Lucía una atmósfera religiosa que me hacía sentir incómodo. Yo buscaba poder psíquico, no un culto religioso.

—¿Son ustedes algún tipo de religión?

—No, no somos una religión —replicó Muriel—. Nosotros somos espiritualistas.

No comprendí muy bien la diferencia; sin embargo, la seguridad con que hablaba me impulsó a hacer una cita para una noche de la semana siguiente.

Sesión de consulta con una psíquica de la Nueva Era

Llegué a mi cita en el local del *Camino Luminoso* con una sensación de expectación. Si bien todavía estaba preocupado por la idea de que un psíquico en realidad no tenía poder real, no creí que esta mujer fuera un fraude total.

Mientras esperaba que Muriel llegara, noté un cuadro en la pared que mostraba un título de maestría de la Universidad de Pepperdine. Otro cuadro mostraba una licencia del gobierno de California para el aconsejamiento individual, familiar y matrimonial.

Muriel me saludó y me condujo a una de las mesas. Nos sentamos en lados opuestos, uno frente al otro.

—¿Por qué necesita mi ayuda? —preguntó.

Le expresé mi necesidad de orientación para mi vida, diciéndole que no sabía a dónde ir o qué hacer para sentirme realizado.

Muriel me escuchó atentamente. Luego tomó un paquete de cartas y las puso sobre la mesa. Yo las reconocí como las cartas del Tarot.

—Muriel —la interrumpí—, en realidad yo deseaba que esto fuera una sesión en la que se usara poder psíquico proveniente del reino cósmico; no tengo ningún respeto por los lectores de cartas y adivinos de la fortuna.

—Oh, sólo uso las cartas para abrir el éter y revelar los Registros Akásicos —replicó Muriel.

No comprendiendo lo que quería decir, la miré en forma interrogante y con el entrecejo fruncido.

—Estos son los registros conservados en forma permanente en los cielos —explicó—. Describen cada evento ocurrido, y contienen todo el conocimiento. Son como la memoria cósmica gigante de una computadora. Las cartas simplemente comienzan el proceso de abrirme los registros de modo que yo pueda leer psíquicamente y canalizar a los Maestros.

—¿Los "Maestros"? ¿Quiénes son ellos? —me pregunté reflexivamente.

—En realidad no necesito las cartas —me aseguró Muriel—. No las usaremos si usted no se siente cómodo con ellas.

—Preferiría que no las usáramos —repliqué.

La entrevista prosiguió. Cubrió varios aspectos de mi vida. Por momentos Muriel cerraba los ojos y parecía concentrarse intensamente, como si oyera algún tipo de voz interior que le estuviera dando información. A veces describía a personas y lugares delante de mí, y yo tenía la sensación de que las dibujaba en su mente a medida que me las describía en detalle.

Durante la sesión Muriel describió claramente varios aspectos interesantes e intrincados del carácter de mis padres. La exactitud de su revelación era asombrosa. Yo no le había dicho nada acerca de mis padres, pero ella era capaz de hablar de ellos como si los conociera personalmente.

Comencé a notar que caían de mi frente gruesas gotas de sudor. Tenía que secarme la frente con un pañuelo. Pensé para mí, esto es extraño. Siento frío. El cuarto tiene buen aire acondicionado. ¿Por qué estoy sudando tanto? Durante toda la entrevista, gruesas gotas de sudor siguieron rodando literalmente de mi frente. Nunca antes había experimentado algo semejante.

Mientras seguía fascinado con sus explicaciones, Muriel procedió a describir los caracteres y motivos personales de varios de mis amigos. Yo estaba asombrado de su percepción y comprensión de los eventos. Parecía que nunca cesaría de producir información; semejaba a una enciclopedia psíquica.

Fue entonces cuando hice a Muriel algunas preguntas acerca de mi trabajo. Ella sabía mucho acerca de mis habilidades en el trabajo y de mis colegas de oficina.

Le pregunté acerca de varios problemas personales que me perturbaban como, ¿por qué habían sido tan tirantes mis relaciones con mis padres?

—Veo una vida pasada en la cual usted fue el padre de una niñita —comenzó a decir Muriel—. Esa niñita es su madre en esta vida presente.

Yo me incliné hacia adelante muy interesado. Muriel tenía sus ojos cerrados, como si los enfocara en el mundo cósmico.

—En esa vida pasada usted vivió como un indio norteamericano. Puedo verlo claramente como un médico brujo. Usted está acariciando a su preciosa hija. Muchos conflictos, karma, quedaron sin resolver en esa vida pasada. Es por eso que usted eligió a su madre actual.

—Mmmmmm —pensé yo—, ¿de veras elegí a mi madre antes de nacer?

—Veo que la relación mejora —continuó Muriel—. Usted escribirá cartas a su madre y aclarará muchos malentendidos.

Hubo un momento de silencio.

—El destino de su alma para esta vida presente comenzará muy pronto a realizarse —agregó Muriel.

—Cáspita —pensé—, esto concuerda exactamente con la extraña voz interior que me habló hace poco acerca de mi alma. Comencé a preguntarme si mi entrevista con Muriel no sería uno de esos eventos que había sido arreglado previamente en el reino cósmico.

Muriel habló un poco más acerca de mi destino, mientras yo continuaba limpiándome las gruesas gotas de sudor que caían de mi frente.

La sesión duró como hora y media. Al final Muriel me dio un atractivo folleto y me invitó a asistir a algunas de las clases nocturnas que daba. Salí emocionado y delirando por la nueva perspectiva y esta gran promesa que se abrían ante mí.

La sesión se grabó en un casete que escuché varias veces. La entrevista había tenido dos aspectos fascinantes. Primeramente, me convencí, sin lugar a dudas, de que Muriel tenía poderes psíquicos definidos. Una persona ordinaria no habría podido describir con tanta exactitud los caracteres de mis padres y demás asociados míos sin haberse relacionado íntimamente con ellos.

En segundo lugar, me maravillaba el hecho de haber sudado tanto durante la sesión, no obstante estar funcionando el aire acondicionado y no sentirme nervioso ni emocionado. Así que llegué a la conclusión de que algún tipo de energía tuvo que estar presente durante nuestra sesión, la cual habría provocado el copioso sudor que me salió de la frente.

Estaba intrigado por la capacidad psíquica de Muriel para "leer" los Registros Akásicos a fin de revelarme los detalles de mis "vidas pasadas". El concepto de reencarnación y de vidas pasadas siempre me había interesado. La idea parecía responder muchas preguntas concernientes a la naturaleza de la vida: ¿Por qué una persona nacía en medio del dolor y el sufrimiento, y otra entre la riqueza y un ambiente cálido y lleno de amor? ¿Es cuestión de suerte el nacimiento? O ¿hay una razón explicable para estas aparentes injusticias? Quizás la fortuna dé una vuelta en la otras vidas a fin de lograr un justo equilibrio en cada una de las almas después de haber vivido muchas vidas. La idea de la reencarnación me parecía bastante lógica.

Esta primera "lectura" psíquica puso las bases para mi hundimiento en el mundo del misticismo, las religiones orientales y el ocultismo. Me intrigaba el hecho de que Muriel pretendía tener poder sanador y había dicho que estaba en posesión de un cuerpo completo de conocimiento esotérico, el cual, si alguien lo aprendía, transformaría su vida y lograría la realización de su destino.

Mi mente estaba llena de preguntas concernientes a "mis vidas pasadas". ¿Podría Muriel seguir desentrañando aquellos traumas ocultos en lo más profundo de mi alma? ¿Podría la aclaración y solución de los conflictos de "mis vidas pasadas" ayudarme a resolver los problemas de esta vida presente? Era posible que muchos de mis infundados temores y ansiedades pudieran remontarse a los conflictos y traumas no resueltos de "mis vidas pasadas". Si podía desenredar los bloqueos de aquellas vidas, imagínese el desarrollo y la salud que yo podría tener y cómo mejoraría mi desempeño en esta vida. Sería tremendamente benéfico para mí.

Pensaba en la posibilidad de incrementar y desarrollar habilidades intuitivas. Imaginemos las posibilidades si uno pudiera hacer constantemente decisiones correctas en los negocios gracias a la posesión de un poder intuitivo preciso.

La carnada había sido mordida. Con el deseo de obtener más de este conocimiento y además experimentar algo más del poder psíquico de Muriel, decidí asistir a las clases metafísicas. Había sido seducido por la manifestación del poder psíquico.

3

En la red de la canalización

El folleto que Muriel me dio, donde se anunciaban las clases metafísicas del Centro *Camino Luminoso*, tenía una lista de cursos de nombres muy sugestivos: astrología, tarot egipcio, numerología, psicosíntesis. Yo estaba familiarizado con la astrología, mas no con los otros temas.

Muriel, la directora del Centro, me recomendó que comenzara con la clase de psicosíntesis de los miércoles. Por el nombre, me pareció que la clase de psicosíntesis sería un programa de desarrollo psicológico. Pero realmente esperaba que no fuera así ya que estaba harto de psicología. Lo que yo deseaba era aprender filosofía esotérica y experimentar más de los poderes psíquicos que Muriel parecía poseer.

Decidí seguir su sugerencia y asistí a su clase. También estaba ansioso de preguntarle quiénes eran los "Maestros", los espíritus guías, con quienes ella parecía comunicarse.

Y finalmente llegó el miércoles por la noche. Luché, como siempre, con la aglomeración de las últimas horas del tránsito pesado de Los Angeles, y llegué al *Camino Luminoso* un poquito tarde. La clase ya había comenzado. Aquél era un grupo de diez o doce personas sentadas en círculo alrededor del salón donde había tenido lugar la feria de asuntos psíquicos.

Me dirigí discretamente hacia un asiento desocupado mientras examinaba el círculo de personas que me rodeaban y noté que los miembros de la clase fluctuaban entre los 25 y 50 años de edad. Algunas de las personas parecían ser jóvenes profesionales; otras podían ser secretarias, obreros constructores y amas de casa.

Muriel, vestida de mezclilla y una blusa de colores vivos, estaba hablando. "La Nueva Era será una edad de oro en la cual reinará el amor, la luz y el gozo —aseguró—. Esta Nueva Era de Acuario en realidad ya ha comenzado. Una nueva y poderosa energía espiritual está siendo irradiada hacia este planeta. La conciencia de la humanidad se transformará más rápidamente a medida que estas energías cósmicas actúen en cada persona individualmente".

Quise preguntar a Muriel algo acerca de esas energías espirituales, pero temí interrumpirla. Cada una de las personas del círculo tenía clavados sus ojos en ella, tal como un auditorio fija su atención en un cantante que esté en el centro del escenario.

Ella continuó diciendo. "La conciencia que tiene de sí misma la persona ordinaria se conoce como su personalidad, o el yo inferior. Este se preocupa por la supervivencia y la búsqueda del placer. Su mayor afán es conseguir dinero para vivir. Se interesa en hacer amigos, con el propósito de resolver el problema de la soledad y sentirse seguro en su medio social. Aspira a satisfacer el instinto, por lo tanto forma una pareja y funda una familia. Se involucra en la prosecución de logros académicos e intelectuales con el propósito de comprender nuestra civilización y actuar con más éxito en el mundo".

Yo quería volver atrás, al asunto de las energías cósmicas.

—Muriel —la interrumpí, levantando mi mano—. Usted mencionó las energías cósmicas. ¿Nos podría decir algo más acerca de su origen? ¿Está usted hablando acerca de los rayos X, o cosas por el estilo?

—No, Will —contestó—. Estas energías son vibraciones mucho más elevadas de las que se encuentran en el mundo de la ciencia. Vienen del espacio exterior, y se originan en varios grupos de estrellas, principalmente constelaciones de la astrología. Son energías divinas, por lo que, en última instancia, vienen de Dios. Las constelaciones canalizan o dirigen esas energías hacia el planeta tierra. Las energías son sutiles, pero muy poderosas. Estimulan la naturaleza espiritual de una persona y afectan su sistema psicológico a través de las chakras.

—¿Qué son las chakras? —preguntó otra persona de la clase.

Muriel miró con un poquito de impaciencia. Me sentí aliviado de saber que no era el único ignorante de la clase.

—Chakras son "centros nerviosos" de la energía corporal —explicó—. Cinco de los centros están localizados en la columna vertebral, comenzando con la chakra base que está al pie de la columna. Otros cuatro centros (chakras) están en puntos específicos de la espina dorsal. La sexta chakra es muy importante. Se la conoce como el centro del

"Tercer Ojo", y está localizada en la frente.

Muriel se puso la mano en la frente para indicar su posición exacta.

—La séptima chakra está encima de la cabeza. Se llama la chakra corona.

Yo quería saber cómo afectan las energías cósmicas a estas chakras, y por suerte, Muriel comenzó a explicarlo antes que tuviera la oportunidad de hacer la pregunta. "El aspirante a la Nueva Era puede absorber las energías cósmicas durante la meditación. Ellas facilitarán el desarrollo de su conciencia. A medida que las energías son absorbidas por las chakras ocurren sutiles cambios en la fisiología y las células del cerebro de la persona. Las chakras se hacen más y más poderosas y la persona desarrolla una mayor conciencia y fortaleza de carácter. Aparecen nuevos dones y habilidades que habrían pasado inadvertidos si la persona hubiera seguido funcionando sólo al nivel de su personalidad".

Muy interesante, pensé. Así que por eso los gurús orientales pasan mucho tiempo en meditación. Probablemente absorben energía cósmica transformativa que los hace más sabios. Hummmmm, quizá le dé una oportunidad a la meditación.

Muriel habló después acerca de la necesidad de rendirle la vida a Dios y de buscar la forma de trascender nuestra propia personalidad. Dijo que los objetivos de ésta deben ser reemplazados por el deseo de buscar a "Dios", y que la voluntad de la personalidad necesita someterse a su voluntad.

"'Dios' nos habla a través de nuestro yo superior —continuó—. A menos que desarrollemos nuestro yo superior y nos hagamos más sensibles a él, no podremos establecer contacto con 'Dios' y llegar a ser uno con su divina conciencia. El yo superior está siempre dentro de nosotros, pero en la mayoría de las personas duerme en la mente subconsciente. Para ponerse en contacto con esta conciencia de sí mismo, que es más sabia que el intelecto normal, usted necesita edificar un puente desde su yo inferior a su yo superior. Usted edificará este puente hacia 'Dios', simbolizado por el arco iris, asistiendo a estas clases y practicando su meditación diaria".

Yo había estado pensando en la voz de Dios cuando habla a las personas, y me preguntaba cómo sonaría. Finalmente le pregunté a Muriel acerca de eso.

"No espere escuchar literalmente una voz con sus oídos —explicó—. No se trata de eso. El yo superior habla a través de su mente cuando usted se pone en sintonía con él. Pero en otras ocasiones 'Dios' puede hablarnos a través de sus emisarios, los Maestros. Pero insisto, los Maestros usarán el vehículo de su yo superior para comunicarse con usted. Hablan a través de su conciencia. Con un poco de práctica usted será capaz de identificar lo que procede del mundo superior".

Yo me preguntaba quiénes serían estos Maestros que Muriel tanto mencionaba.

"Los Maestros pueden decirnos que hagamos ciertas cosas que posiblemente nosotros no queramos hacer —continuó—. El viejo yo, el ego, la personalidad, se rebelan. Resisten la voluntad de 'Dios'. Entonces es cuando uno debe confiar que él sabe mejor lo que se debe hacer. La pequeña voluntad de la personalidad se debe doblegar ante la voluntad de 'Dios', que es superior, si se quiere progresar en la senda de un mayor desarrollo de la conciencia. Sólo mediante la obediencia puede usted lograr la conciencia de 'Cristo', esa feliz unión con 'Dios'".

Muriel nos dijo después que los Maestros le ordenaban con mucha frecuencia que hiciera cosas que requerían mucha fe y confianza. Yo sentí que los Maestros eran algún tipo de espíritus guías que podían comunicarse con Muriel. Ella ilustró lo que quería decir con un ejemplo práctico.

"El espíritu guía Koot Hoomi me dijo que construyera este altillo y esta escalera en espiral", dijo Muriel, mientras señalaba la escalera que estaba a un lado del salón. Miré hacia arriba y noté que alguien había construido una hermosa y ornada escalera que conducía hacia el balcón.

"No se me dijo por qué debía construir esta escalera —continuó—. Yo sabía que costaría mucho dinero hacerla exactamente como el 'Señor' la quería. Decidí seguir adelante por fe y hacerla exactamente como se me había indicado, sabiendo que 'Dios' tenía razones específicas para llevar a cabo este proyecto".

Volví a mirar la escalera una vez más y luego fijé mi atención en Muriel.

"'Dios' siempre me ha bendecido. Muchas veces yo no sabía por qué quería que hiciera ciertas cosas, pero seguí adelante por fe y las hice de todas maneras. Más tarde siempre supe que él sabía lo que estaba haciendo, y todo salía maravillosamente bien al final. Ustedes tienen que aprender a confiar en la voz de Dios tal como se les revela en sus meditaciones".

Muriel se detuvo como si estuviera pensando lo que diría a continuación. ¿Le haré otra pregunta? Pensé. Debo tratar de aprender algo mientras estoy aquí, concluí, así que le pregunté:

—Muriel, ¿por qué estamos en una Nueva Era?

—Si usted levanta la vista hacia el cielo nocturno, verá las constelaciones astrológicas en los cielos, como Taurus, el toro, o Aries, el carnero. Si observara estas constelaciones durante todo un año, descubriría que sus posiciones se modifican levemente con relación al universo que les sirve de fondo. Y durante un período de 2,000 años, las constelaciones se moverán en el cielo una distancia igual al arco de una de las doce constelaciones, como la manecilla del reloj que marca la hora se mueve de las 3:00 a las 4:00, por ejemplo.

Yo siempre había deseado entender la astrología. Quizá tomaría una clase de astrología, pensé, mientras Muriel explicaba:

"En los últimos 2,000 años hemos estado bajo el signo de Piscis, y a esa edad se la ha llamado la era de Piscis. Hace poco nos movimos al signo de Acuario, y esa es la razón por la cual estamos en la era de Acuario. Cada era trae nuevas energías cósmicas que producen un cambio de conciencia en el planeta".

—Es tiempo de hacer nuestra meditación —anunció Muriel abruptamente.

Caminó hacia el altar que estaba frente al salón y encendió dos velas y algo de incienso. Noté que detrás del altar había fotografías enmarcadas de varias personas, dos de las cuales llevaban turbantes. Yo me pregunté si no serían fotografías de los Maestros guías.

Las luces del salón se bajaron hasta quedar casi en tinieblas. Muriel volvió a su asiento. Todos en el grupo cerraron los ojos y pusieron sus manos sobre las rodillas. Yo hice lo mismo. Entonces Muriel habló:

—Siéntense cómodamente con la espalda bien recta. Relájense y estén quietos en la presencia de 'Dios'.

En el silencio total que siguió comencé a sentirme un tanto incómodo. Temí ser arrastrado hacia alguna clase de religión o secta rara. El cuarto oscuro y el silencio sepulcral me infundió miedo, y casi tuve la sensación de que algo malo flotaba en la atmósfera, y pensé que quizá éste no era el lugar para quedarme. Me consolé razonando que quizá yo no estaba acostumbrado a este tipo de cosas, y el grupo era, después de todo, bastante inofensivo. Al concluir que siempre podría dejar de venir a las clases si éstas se volvían demasiado sospechosas, se me pasó la tensión y me sentí mejor. Después de unos minutos de silencio Muriel habló de nuevo:

—Imaginen un rayo o destello de luz dorada que viene del sol. Imagínenlo brillando sobre ustedes. Inspiren un poco de aire muy suavemente. Ahora visualicen la luz cayendo como una cascada en la parte superior de sus cabezas, como si fuera una lluvia de luz. Este rayo luminoso es para abrir los tres pétalos exteriores de la chakra del corazón".*

Yo tenía problemas para visualizar la imagen del destello de luz.

---

* Los de la Nueva Era pretenden que la chakra del corazón es un importante centro "nervioso" de energía, localizado cerca de la espina dorsal, al nivel del corazón. En el hinduismo se dibuja simbólicamente como una flor de loto con doce pétalos.

Mi imaginación volaba hacia otras cosas.

Muriel continuó dando instrucciones paso a paso para respirar, para visualizar la luz, y para recitar algunas invocaciones. Finalmente nos imaginamos a nosotros mismos sentados bajo un árbol en un hermoso jardín llamado el jardín del alma. Estas técnicas eran para balancear la mente, el cuerpo y las emociones, y para abrir la persona al yo superior y recibir comunicación de los Maestros.

Después de unos cinco minutos de meditación Muriel habló otra vez.

—Nosotros invocamos la presencia y la energía de nuestro amado Maestro, Djwhal Khul.

¿Djwhal Khul? ¿Quién es ese personaje? Me pregunté.

"Amado Djwhal Khul, nos sentimos honrados con tu presencia esta noche. Admiramos tus cualidades de dedicación y amor. Te pedimos que vengas a nuestro grupo y hables a través de nosotros y compartas con nosotros algo de tu sabiduría. Estamos contentos de poder servirte de médiums esta noche".

Entonces Muriel comenzó a hablar en una forma extraña, muy diferente de como lo hacía regularmente:

—Me complace mucho estar aquí esta noche —dijo ella—. Ha habido un aumento de la cantidad de luz en este grupo en las últimas semanas. Nosotros, jerárquicamente, estamos muy felices por la dedicación de los miembros de este círculo de luz. Sin embargo, hay mucho por hacer todavía.

Parecía que Muriel hablaba en la primera persona del espíritu guía Djwhal Khul, como si verbalizara los pensamientos que él supuestamente quería comunicar al grupo.

Continué escuchando con interés, pero me preguntaba si Muriel no estaría hablando simplemente por medio de su mente inconsciente. Quizá este Djwhal Khul no era más que simple imaginación que creaba un efecto dramático.

—No se esfuercen demasiado por comprender los grandes misterios del reino divino —dijo Muriel sirviendo de médium—. Es mejor para ustedes meditar simplemente en la luz y dejar que el proceso de intuición e iluminación divina les dé el conocimiento y la sabiduría. El excesivo uso del intelecto por un discípulo será un obstáculo para su desarrollo de una conciencia más elevada. Vayan directamente a la fuente de todo conocimiento y sabiduría. Escuchen la voz de 'Dios'.

Muriel hizo una breve pausa. Noté que mientras servía de médium a Djwhal Khul, la estructura gramatical de sus frases era mucho más refinada que cuando hablaba normalmente. De otra manera habría parecido que hablaba con su voz acostumbrada.

Entonces le pidió a Djwhal Khul que hiciera algunos comentarios.

"Amado Maestro. Esta noche queremos que hable acerca del amor. Deseamos saber si tiene algo que decirnos acerca de esta hermosa cualidad".

Después de un breve silencio, Muriel volvió a servir de médium a Djwhal Khul.

"Nunca olvidéis que el amor es la mayor fuerza del universo. Amad todo cuanto os rodee. Encerrad en vuestro corazón las palabras de mi hermano, el 'Maestro Jesús'. Cuando él caminó aquí sobre la tierra hace unos 2,000 años, dijo que deberíamos amar tanto, que incluso deberíamos amar a nuestros enemigos".

Interesante, pensé. Parece que Djwhal Khul pretende que Jesús sea uno de sus hermanos. Me preguntaba si insinuaba que Jesús es uno de los Maestros. Entonces el espíritu de las tinieblas, fingiendo ser un ángel de luz, continuó con apariencia de piedad:

"A medida que las energías de la Nueva Era se arraiguen más y más en el planeta comenzaréis a encontrar que toda la gente, de todos los niveles, expresarán más amor fraternal. Esta será verdaderamente la era dorada del amor; será el reino de los cielos establecido en la tierra, exactamente como el amado 'Jesús' lo prometió. Haced vuestra meditación todos los días, vivid una vida de inocencia y amor. Me despido de todos vosotros".

Siguieron unos momentos de silencio. Entonces Muriel hizo un anuncio:

—Iremos ahora al círculo de luz y por turno canalizaremos al 'Maestro Jesús'.

Me sentí un poco incómodo. Esto iba pareciéndose cada vez más a una religión. Pero no percibía de qué manera la red del engaño me envolvía cada vez más, aunque haciéndome sentir que progresaba.

—Quiero que se relajen —ordenó Muriel—. Cuando les toque el turno de canalizar, sencillamente expresen cualquier idea que les venga a la mente. Piensen que es un proceso de canalización de los pensamientos de su yo superior, mientras están en meditación. Comenzaremos con Larry y luego continuaremos alrededor del círculo en el sentido de las manecillas del reloj.

Comencé a preguntarme qué ocurriría cuando me llegara el turno. Como nunca había hecho aquello en toda mi vida, temía llegar a ser poseído, o todavía peor, que nada ocurriera y que no supiera qué decir. No quería hacer el ridículo frente al grupo. Es posible que usted haya estado en una situación similar.

Muriel comenzó la experiencia de canalización del grupo con una breve invocación.

—Vemos a Larry rodeado de una luz dorada y alineado con su yo superior —dijo ella—. En la energía de nuestro amado 'Maestro Jesús', pedimos que Larry traiga un mensaje de verdad para nosotros.

Larry canalizó un mensaje en la misma forma en que Muriel lo había hecho antes, aunque fue muy breve.

Muriel continuó moderando el grupo, dándole la oportunidad a cada miembro. Repitió la invocación y entonces permitió que cada persona canalizara un mensaje que, supuestamente, venía del 'Maestro Jesús'.

A medida que cada miembro del grupo canalizaba un mensaje, repentinamente, el interior de mi frente se iluminó con una luz brillante. Era como si alguien hubiera conectado un foco de luz eléctrica dentro de la región frontal de mi cerebro.

Al principio pensé que quizá alguien había encendido una luz en el cuarto. Abrí los ojos y sólo vi las tinieblas del salón. Cerré mis ojos de nuevo. La luz todavía estaba allí. Definitivamente no la estaba imaginando. Parecía como si un cambio fisiológico tangible se hubiera producido en las células de mi cerebro en virtud del cual repentinamente la parte frontal de éste se había iluminado. Experimenté una sensación placentera, una sensación de relajamiento y paz y me preguntaba si este místico efecto sería el resultado de la energía cósmica que alumbraba la chakra de mi tercer ojo, que supuestamente estaba colocado en la frente.

Pronto llegó mi turno de canalizar. Muriel repitió la invocación. Me senté tranquilamente durante unos momentos y me pregunté qué se suponía debía decir. Vacilé un poco antes de hablar temiendo decir un disparate. Lo único que venía a mi mente era "amaos los unos a los otros".

Dije: "Amaos los unos a los otros".

Muriel pasó inmediatamente a la siguiente persona. Y así todo el grupo tuvo la oportunidad de canalizar.

Después de unos minutos de silencio, Muriel habló otra vez:

—Esta semana durante sus meditaciones en sus casas les ruego que vayan al jardín de sus almas y se sienten bajo un árbol de color lila de la fuerza. Meditar bajo ese árbol les dará fortaleza y desarrollará su voluntad.

Hubo otra pausa.

Muriel continuó exhortándonos a que visualizáramos la luz de su Centro, la cual debía difundirse en todos los Estados Unidos, en la vida del presidente y de los oficiales del gobierno en Wáshington, D. C., en la Organización de las Naciones Unidas y finalmente alrededor del planeta tierra.

—Digamos tres "oes" anunció Muriel.

Todo el grupo emitió al unísono tres largos sonidos, tomando una profunda inspiración antes de cada uno, "¡Ooooooooooooooo! ¡Oooooooooooooooooooo! ¡Oooooooooooooooooooo!".

El ruido fue bastante fuerte. Me pregunté si la gente que estaba en el recinto comercial contiguo oiría el grito y qué pensaría. Después de la "O" final, todo el grupo siguió a Muriel en la recitación de una oración, a la cual llamaban la Gran Invocación. Yo no me la sabía de memoria, de modo que me quedé en silencio.

Más tarde, mientras regresaba a casa, mi mente estaba llena de preguntas. ¿Quiénes eran estos Maestros, como Djwhal Khul, a quienes supuestamente estábamos canalizando? ¿Está Jesús vivo realmente en algún lugar? ¿Cuántos Maestros hay? ¿Son humanos, como los gurúes, o son seres espirituales incorpóreos que existen como fantasmas? ¿De qué manera los Maestros están relacionados con Dios? ¿Era Jesús en realidad parte del grupo de Maestros?

El hecho de que Muriel hablase de Dios y de Jesús me hacía sentir un tanto incómodo. Yo no quería ser arrastrado a un culto religioso. Pensé que probablemente todos los Maestros estaban en la imaginación de Muriel y que en realidad todo lo había estado sacando de las profundidades de su subconsciente. Pero yo no podía explicar la luz misteriosa que se había encendido de repente dentro de mi cerebro. ¿Qué era esa luz? Estaba seguro de no haberla imaginado. ¿De dónde provino? ¿Cómo me afectaría? La curiosidad acerca de la luz me ayudó a decidirme a asistir a la clase de la siguiente semana.

Finalmente la noche del miércoles llegó. El perfil de la clase fue muy semejante al de la sesión anterior. Para mi gran sorpresa, la parte frontal de mi cerebro se iluminó nuevamente en forma repentina, como si alguien hubiera prendido un foco dentro de mi cabeza durante la meditación del grupo. En esta ocasión Muriel invocó la presencia y la energía de un Maestro llamado Señor Maitreya. Ella se refería a él como si fuera "el Cristo". Yo siempre había sabido que Jesús era el Cristo, pero al parecer Maitreya tenía este título también, independientemente del significado que le diera.

Cuando llegó mi turno de canalizar, Muriel repitió la invocación: "Vemos a Will en una esfera de luz dorada de 'Cristo'. Está alineado con su yo superior para traer un mensaje de sabiduría del Señor Maitreya".

—Las energías de la Nueva Era son ahora mucho más intensas sobre el planeta —dije un poco vacilante—. Los cambios que se están produciendo en la civilización se acelerarán. Esto causará ciertos disturbios y algunos efectos negativos, pero al final, se iniciará la edad de

—Te escucho —replicó ella sencillamente, sin darle importancia, mientras miraba algo en el cuarto.

—Tengo malas noticias para ti.

Ella ni siquiera se movió.

—Todo ha terminado. Tenemos que dejar de vernos.

Me sorprendí de cuán fácilmente brotaron las palabras. Cathy no respondió. Me preguntaba si me habría entendido.

—¿Qué? —exclamó repentinamente, volviendo la cabeza bruscamente hacia mí—. ¿Qué quieres decir?

—Todo terminó entre nosotros. Tienes que irte. No sé cómo explicártelo.

Esta vez Cathy me miraba con profunda consternación.

—Nada tiene que ver contigo —me apresuré a decirle—. Es algo que está dentro de mí. Me resulta muy difícil describirlo, pero cuando desperté esta mañana supe inmediatamente que teníamos que separarnos.

Cathy parecía como herida por un rayo. Luego murmuró:

—No me dijiste nada de esto ayer por la noche. Pensé que habíamos pasado juntos un momento maravilloso.

Me quedé como en blanco y permanecí en silencio durante un tiempo, como si hubiera perdido el habla.

—Will, ¿estás seguro que te sientes bien? —me preguntó con una mirada de preocupación.

—Cathy, me siento bien. Créeme, esto nada tiene que ver contigo. No hiciste nada malo. Lo que pasa es que siento que necesito más tiempo para... para... em, leer mis libros espirituales.

Comencé a sentirme nervioso, realmente incómodo. Le dije que necesitaba tomar un sorbo de agua y salí del cuarto sólo para romper un poco la tensión. Mientras caminaba alrededor de la cocina recordé lo que había ocurrido esa mañana tan pronto me había despertado. La voz interior de la conciencia me había hablado claramente.

—Termina tus relaciones con Cathy —había dicho—. Ella tiene que irse de tu vida. Tú necesitas más tiempo para estudiar tus libros de metafísica.

Yo había disfrutado mucho de la compañía de Cathy, y no quería romper nuestras relaciones. Pero sentí que ella era un obstáculo para estudiar seriamente los libros metafísicos.

Me consolé con el pensamiento de que quizá los Maestros intentaban casarme con un alma gemela en algún momento, cuando llegara el tiempo oportuno. Ella no habría comprendido mi interés en la metafísica. Sé que pensaría que me había vuelto completamente loco.

Al volver a la sala noté que las lágrimas corrían por sus mejillas.

Empecé a sentirme terriblemente mal.

Me quedé inmóvil durante unos instantes, sin saber qué hacer. Luego me senté a su lado y la abracé.

—Cathy, lo siento mucho. Siento de veras muchísimo todo esto. Créeme, no estoy enojado contigo ni nada por el estilo.

—¿Entonces por qué no quieres que continúe nuestra relación? —dijo con voz ahogada.

—Es cuestión del destino —repliqué.

Ella no se movió ni dijo nada, pero siguió sentada allí, en silencio, mirando al espacio. Me sentía avergonzado. Y sin embargo me mantenía firme en lo que estaba haciendo y no tenía la más mínima intención de reconsiderarlo. La decisión era definitiva. Intuitivamente sabía que así sería.

Me puse de pie y le pregunté si quería una taza de café. Ella dijo que no con la cabeza. Las lágrimas todavía rodaban por sus mejillas. Pasaron algunos minutos. Finalmente me dirigí a la puerta y Cathy me siguió.

Dando media vuelta la abracé fuertemente. Nos separamos y cada uno tomó su propio camino.

Habían transcurrido dos meses desde que empecé a asistir a las clases en el *Camino Luminoso.* Ahora deseaba con vehemencia iniciar un estudio serio de los libros metafísicos que había comprado.

Una de las clases del *Camino Luminoso* fue un estudio sistemático del libro *Treatise on White Magic (Tratado de magia blanca)*, escrito por Alice Bailey. Encontré fascinante aquel libro. Al parecer el espíritu guía, Djwhal Khul, había dictado telepáticamente el contenido de la *Magia blanca* a Alice Bailey, una discípula de los Maestros. Ella vivía en los Estados Unidos, actuó como amanuense en la redacción del manuscrito del libro, y comenzó su trabajo en 1919. El *Camino Luminoso* tenía aproximadamente veinte libros diferentes que Djwhal Khul había dictado a Alice Bailey. Yo había comprado varios de ellos y ahora comenzaba a investigarlos minuciosamente. ¡Era incapaz de comprender hasta qué punto me había dejado atrapar en las redes de la Nueva Era!

A medida que estudiaba los libros y asistía a las clases en el *Camino Luminoso*, comencé a comprender que mi relación con el Centro no era casual, en absoluto. Consideraba mi asociación con este Centro metafísico como parte crucial de mi destino en esta vida. Creía que la providencia "divina" era la que me había llevado a conocer a Muriel para ser capacitado por ella y desarrollar mi conciencia. Consideraba mi destino como parte del movimiento de la Nueva Era, esa gran manifestación del plan de "Dios" para el planeta tierra.

Varias semanas después que Cathy y yo nos separamos, el motor de mi viejo Ford Pinto verde se desbieló. Densas nubes de humo surgían de sus malolientes fierros. Siendo que había trabajado durante un tiempo como mecánico de automóviles, diagnostiqué que un pistón se había desintegrado y decidí abrir el motor para reemplazarlo.

Yo siempre había reparado mis carros, no importaba cuán grande fuera el desperfecto. Cierta vez tuve un carro nuevo y me aburrí con él, porque nunca se descomponía. Sabía que podía encargarme del mantenimiento y reparación de mi propio automóvil. Era parte de mi estilo de vida.

Poco después de que la máquina se rompió, me levanté muy temprano un sábado de mañana para repararla. Todo estaba preparado. Había alquilado un gato especial para sacar el motor y había limpiado la cochera para hacer un buen espacio y trabajar cómoda y eficientemente.

No demoré en tomar mi desayuno, pues estaba ansioso de iniciar la cirugía mayor que necesitaba la máquina. Normalmente hacía una breve meditación después del desayuno, pero esta mañana decidí pasarla por alto.

Cuando me estaba poniendo mi ropa de mecánico oí la voz interior de mi conciencia urgiéndome a hacer la meditación. Pero como estaba decidido a comenzar el trabajo en el carro, ignoré la voz. Sin embargo, ésta persistió hasta que finalmente escuché su consejo y decidí meditar durante unos cinco minutos más o menos.

Me senté en la alfombra de mi recámara con las piernas cruzadas y traté de ponerme lo más cómodo posible. Pero el grueso traje de mecánico me lo impedía. Después de hacer el ritual de la invocación y la visualización que se enseña en el *Camino Luminoso*, me dediqué a meditar en silencio.

Mi pensamiento se volvió asombrosamente claro. La voz interior de la conciencia habló: "Estás desperdiciando tu tiempo completamente al reparar el viejo Pinto. Sólo estás satisfaciendo un hábito que ahora es completamente obsoleto. Despréndete de ese carro y cómprate uno nuevo".

Luego mi yo superior me explicó que en vez de gastar el precioso tiempo libre en el mantenimiento de carros viejos, debía dedicarlo a la meditación, la contemplación y el estudio de la literatura de la Nueva Era. "Necesitas adquirir una comprensión más profunda de la ciencia expuesta en los libros metafísicos de Alice Bailey", me aconsejó la voz interior.

Quedé asombrado de cuán claro y lógico se tornó mi pensamiento a medida que meditaba. Era como si una nueva y perfecta forma de percepción hubiera surgido ante mí. Podía ver claramente las limitaciones de mi antigua manera de pensar y de mis patrones de conducta. Aun cuando a mi "personalidad" le encantaba el oficio de reconstruir máquinas, era comprensible que desperdiciaba un tiempo y una energía muy valiosos.

Mi mente protestó ante la falta de recursos necesarios para comprar un automóvil nuevo. Razonó que debía reparar el viejo Ford Pinto como lo tenía planeado, para entonces venderlo por una cantidad que sumara el anticipo de uno nuevo.

"Estás pensando todavía según tus viejos patrones de pensamiento —me dijo mi yo superior—. Deslígate del viejo yo. La conciencia de pobreza es una actitud contraproducente. Eso impedirá tu desarrollo y crecimiento. Debes deshacerte del automóvil viejo y confiar en que Dios se hará cargo de todas tus necesidades materiales".

Decidí a regañadientes actuar por fe, y terminé la meditación recitando la Gran Invocación. Ya de pie, me quité la ropa de mecánico y llamé a los comerciantes de carros usados para que hicieran arreglos para desmantelar el viejo Ford Pinto.

El proceso de meditación parecía haber funcionado en una forma muy práctica. Era asombrosa la forma en que mi yo superior me había dicho que era una necedad seguir reparando el viejo Pinto. Mi obediencia a la voz interior me capacitó para romper los viejos moldes de pensamiento y acción. Ahora entendía por qué Muriel decía y aseguraba que un proceso de transformación ocurriría a medida que uno respondiera a la sabiduría del yo superior.

Me di cuenta que si le permitía a mi vieja personalidad actuar como lo había hecho durante muchos años, no habría manera de transformar y expandir mi conciencia para que funcionara en diferentes situaciones con métodos nuevos y más sabios. Muriel enfatizaba continuamente la necesidad de que el yo superior tomara el control y dominara la personalidad. El yo inferior, con sus viejos hábitos y métodos deficientes de funcionamiento, tenía que ser abandonado. Ella enfatizaba que el único camino hacia la conciencia del yo superior era la práctica de la meditación.

El consejo relativo a la experiencia del Ford Pinto me hizo comprender claramente cuánto necesitaba cambiar. Me emocioné mucho pensando en las posibilidades latentes en mí si continuaba practicando la meditación. Tal vez llegaría a ser muy sabio y a desarrollar agudeza y perspicacia en los negocios. Quizá podría cultivar habilidades que estaban latentes en mí, de cuya existencia ni siquiera me percataba. Si podía destapar el cofre de la sabiduría y el poder cósmicos —pensaba—, una visión totalmente nueva de excitantes posibilidades vocacionales podría abrirse delante de mí. Quizá hasta me convertiría en líder político, y podría colaborar con la voluntad de los Maestros en el medio gubernamental.

Más tarde, esa misma semana, recibí claras indicaciones durante la meditación de que debía comprar un modelo específico de carro. La voz de la conciencia precisó: "Compra un Plymouth Champ. Es el carro que necesitas. Los Maestros quieren que tengas un Champ".

No podía entender por qué necesitaba comprar ese modelo en particular. Aquél no era el carro nuevo que yo había elegido. Me rebelé contra las indicaciones y salí a visitar la concesionaria Volkswagen para inspeccionar un Sciroco, modelo que siempre me había llamado la atención.

Mientras me dirigía a la concesionaria en una camioneta prestada, la voz interior de la conciencia comenzó a hablarme. Era tan clara como si yo estuviera en meditación. Decía: "Compra un Plymouth Champ. Estás perdiendo el tiempo al visitar la concesionaria Volkswagen. Compra un Plymouth Champ; es el mejor carro para ti",

Estaba sorprendidísimo de escuchar a mi conciencia hablándome con tanta claridad. Realmente me molestaba su intervención en mis planes del día. Yo quería ser libre para elegir mi propio carro. Lo que me sorprendió aún más fue que podía percibir la voz aun cuando estuviera manejando en la carretera. Empecé a preguntarme si realmente sería la voz de mi yo superior; quizá no eran más que desvaríos de mi subconsciente.

Ignorando las indicaciones de mi conciencia continué el camino hacia la concesionaria Volkswagen. El Sciroco se veía maravilloso al imaginarme manejándolo por las calles. De repente la voz de la conciencia intervino: "Estás perdiendo tiempo. Los Maestros quieren que compres un Plymouth Champ". Luego continuó en son de protesta: "Es el mejor carro para ti. Olvídate del Volkswagen y compra el Plymouth Champ".

El vendedor de la Volkswagen hizo todo lo posible por venderme un Sciroco, pero no se dio cuenta que estaba compitiendo con un consejero invisible.

Salí de la concesionaria irritado por la voz de mi conciencia que me había molestado una vez más. Había planeado visitar la concesionaria Toyota después, de modo que me dirigí allá.

Más o menos a la mitad del camino la voz me habló nuevamente: "¿Por qué no nos escuchas? Te hemos dicho repetidas veces que el Champ es el mejor carro para ti. Estas perdiendo tu tiempo al ir a la concesionaria Toyota. Compra un Plymouth Champ".

Me quedé pensando a quiénes se referiría ese "nos" de quien hablaba la voz. ¿Sería que los Maestros me estaban hablando a través del médium de mi yo superior?

La voz era tan clara que salí de la carretera y estacioné la camioneta. Decidí meditar allí mismo en el vehículo. Después de hacer la invocación de costumbre y el ritual de la visualización, me relajé y comencé a meditar. La misma voz interior de la conciencia comenzó a hablar otra vez.

"Compra el carro Plymouth Champ —me aconsejó gentilmente—. Es el carro ideal para ti. Te gustará".

Pensé en cuán sabio había sido el consejo de mandar al deshuesadero el viejo Pinto. Podía ver también que mis entradas eran suficientes como para comprarme un carro nuevo, aun cuando mi personalidad había protestado inicialmente por mi falta de dinero. El yo superior seguramente sabía lo que hacía.

Decidí experimentar. Convine en hacer exactamente lo que la voz interior me decía. Si el Champ resultaba ser un mal automóvil, sabría que la voz interior de la conciencia era una fuente de indicaciones técnicas indigna de confianza.

Di la vuelta y me dirigí a la Agencia Plymouth. "Estás haciendo lo correcto. No te molestes en ver ningún otro carro. Compra el Champ —confirmó la voz mientras yo conducía hacia la concesionaria Plymouth".

Estaba asombrado de cuán persistente había sido la voz interior. Parecía capaz de irrumpir en mi pensamiento en cualquier momento. Pero era evidente que la voz no pensaba como yo lo hacía normalmente. Concluí que se trataba de mi yo superior y que podía actuar estando o no en meditación. Parecía que los Maestros, o posiblemente el espíritu de "Dios", era capaz de hablarme directamente a través de la voz de la conciencia.

Finalmente compré el Champ. Fue un carro excelente, y lo gocé inmensamente.

Llegué a creer que si armonizaba mi vida con la voz de mi yo superior, "Dios" me bendeciría. Luché por desarrollar una fe que me permitiera entregar mi vida a su voluntad que se expresaba a través de mi yo superior. Creí que por hacerlo así incursionaría en la abundancia y el gozo de la Nueva Era y experimentaría tanto bendiciones materiales como felicidad ilimitada a medida que cumpliera el plan trazado para mi destino.

Después de meditar durante unos momentos, podía percibir con más claridad la voz suave y silenciosa de mi subconsciente. También se me hizo más fácil verbalizar esta voz interior durante la canalización en las sesiones de grupo. Parecía que el secreto radicaba en la habilidad de diferenciar la voz del yo superior de la voz de la inteligencia normal, la personalidad, habilidad que se podría desarrollar por la práctica y la perseverancia.

La canalización que hacía en los grupos comenzó como la verbalización de los pensamientos de mi yo superior. Cuando comenzaba a hablar, las palabras surgían bajo el control de su voluntad y era capaz de canalizar mensajes largos. Cuando canalizábamos a los Maestros, pensaba que ellos hablaban a través del yo superior de la persona que realizaba la canalización. Yo deseaba ser utilizado por los Maestros como médium para efectuar la obra divina.

Noté que la extraña luz blanca-dorada de la parte frontal de mi cerebro estaba ahora presente durante mis meditaciones. A veces era de color lila o violeta.

Le pregunté a Muriel acerca de la luz.

Me dijo que era producida por una vigorización del centro del tercer ojo, chakra mayor localizada cerca de la glándula pineal, en la parte frontal del cerebro. Enfatizó que la meditación causa cambios fisiológicos en las células cerebrales a medida que la luz hace su obra transformadora.

Del estudio de los libros de metafísica aprendí que el centro del tercer ojo se supone es un centro de energía, o chakra, unido al desarrollo de la intuición y al poder psíquico. Se postula que el acto de meditar facilita la absorción de la energía cósmica en varias chakras a fin de elevar los niveles de energía y promover el desarrollo de los poderes divinos.

Muriel explicó que el desarrollo del centro del tercer ojo daría a la persona visión esotérica, la habilidad de ver dentro del reino espiritual, de tener visión espiritual, por así decirlo. Supuestamente, cuando este centro está completamente desarrollado uno puede percibir psíquicamente eventos y lugares distantes, e incluso ver la presencia de los ángeles y otros seres espirituales. Yo me propuse desarrollar estas habilidades.

Al parecer, el principal objetivo del entrenamiento en el *Camino Luminoso* era capacitar a una persona para armonizar con su yo superior y usarlo como una fuente de dirección y sabiduría. Una y otra vez Muriel afirmó y enfatizó que uno puede alcanzar este yo superior sólo a través de la meditación. También enfatizó que era necesario construir un puente entre el yo inferior (la personalidad) y el yo superior (el alma o dios del yo).

En la terminología de la metafísica este puente, llamado el "antahkarana", se simboliza por medio de un arco iris al cual se refiere comúnmente como el "puente arco iris". Esto explica por qué el arco iris es un símbolo muy usado por la Nueva Era. Por supuesto, no tiene el mismo significado que su contraparte cristiana, que simboliza el pacto de Dios con Noé.

Se me enseñó que uno debe experimentar una transformación en el estilo de vida y en la conciencia a medida que lucha por autodisciplinarse y someter la personalidad al control del alma.

Por ejemplo, si hubiera rehusado abiertamente obedecer la voz de mi yo superior cuando me dijo que rompiera mis relaciones con Cathy, el desarrollo de mi conciencia se habría visto severamente disminuido, independientemente de cuánta meditación hubiera hecho. En las clases se afirmaba constantemente que la obediencia al yo superior es un requerimiento muy importante para progresar en la senda del dios-conciencia.

La ruptura con Cathy, la desmantelación del Pinto, y la compra del Champ fueron todas ocasiones de obediencia de mi parte que constituyen los primeros pasos en el proceso de permitir que la voz del yo superior tomara por completo el control de mi vida. Poco a poco comencé a recibir toda clase de "indicaciones", generalmente durante la meditación, que propiciaron drásticos cambios en mi manera de vivir.

5

Aparece un "Maestro"

Imagine que se encuentra en una plaza solitaria. Repentinamente se le aparece una persona resplandeciente, irradiando una luz blanca-dorada que casi lo ciega por su brillo. También emana de esa persona una influencia tranquilizadora, que lo embarga de una sensación de belleza y paz mientras la contempla deslumbrado por su fulgor.

Una aparición asombrosa semejante a ésta, ocurrió delante de mí la mañana del 30 de octubre de 1981, cerca de un año después que comencé a asistir a las clases del *Camino Luminoso.* Cuando lo vi por primera vez, inmediatamente pensé en la Persona de Cristo Jesús.

Cuando me levanté esa mañana, nunca imaginé que estaba a punto de pasar por una insólita experiencia que produciría cambios increíbles en mi vida. Estaba a punto de entrar en las profundidades secretas de la experiencia mística, a partir de la cual, el mundo nunca más sería el mismo para mí.

Después de bañarme volví a la recámara para mi meditación matutina. Para ser aceptado en la clase del *Camino Luminoso*, cada estudiante debía llevar a cabo una sesión de meditación privada diaria. En el tipo de meditación indo-budista que el *Camino Luminoso* enseñaba, era deseable que el meditador mantuviera su espina dorsal tan erecta como le fuera posible, supuestamente para facilitar el libre flujo de las energías asociadas con las chakras. Generalmente yo tenía problemas para realizar mi meditación, a causa de una antigua dolencia en la espalda que me había molestado desde la niñez.

Esa mañana no fue la excepción. Me sentí bastante incómodo cuando comencé a sentarme con las piernas cruzadas sobre la alfombra. El dolor de espalda me urgía a abreviar la sesión. Pero entonces recordé las palabras de advertencia del Maestro Djwhal Khul, registradas en uno de sus libros: "Es imposible progresar en la senda espiritual, excepto por medio de la meditación".

Seguí el consejo y me discipliné a fin de sentarme tan erecto como fuera posible. Tras realizar las invocaciones preliminares y las oraciones, seguí meditando sentado. Luché contra mi dolor de espalda, batallé para mantener mi torso derecho, sabiendo que era la postura correcta para que la meditación fuera efectiva. Después de unos tres o cuatro minutos de incomodidad e irritación, tuve que levantarme y estirarme. Fui tentado nuevamente a abandonar la meditación y salir de la casa rumbo a mi trabajo donde laboraba como ingeniero. Sencillamente no me sentía con ánimos de meditar esa mañana. Pero la voz interior de la conciencia me impulsó a intentarlo una vez más. Me senté de nuevo en el piso, crucé las piernas, cerré los ojos, y repetí la invocación ritual principal.

La misteriosa fuerza envolvente

Había estado meditando sólo cuatro o cinco minutos. La incomodidad de mi espalda era intensa, y tenía gran dificultad para permanecer sentado sin moverme. Tenía las piernas acalambradas como si hubiera estado encadenado a un cepo durante horas.

De pronto, una fuerza física que nunca antes había experimentado pareció descender sobre mí. Una luz brillante iluminó mi ser, como si todo mi cuerpo se hubiera convertido en una lámpara incandescente. Yo percibía esta esfera luminosa que me rodeaba con una luz que permeaba cada célula de mi cuerpo. Mi cerebro estaba inundado como si un foco de 1000 watts se hubiera encendido dentro de mi cabeza.

Noté que había perdido toda sensación de peso e incomodidad. El dolor de la espalda había desaparecido. La fuerza misteriosa actuaba ahora dinámicamente sobre mi postura. Sentí como si alguien sumamente fuerte me tomara del torso y enérgicamente me enderezara la espalda hasta que me puse totalmente derecho. Todo vestigio de tensión muscular había desaparecido completamente.

No sentía ninguna aprensión respecto de lo que estaba ocurriendo. Al contrario, experimenté una profunda sensación de bienestar. Noté que había perdido toda atracción de la gravedad, como si no pesara y estuviera levitando sobre el piso. Pero al mismo tiempo estaba perfectamente consciente de que me encontraba sentado en una esquina de mi recámara. Mi mente, mi pensamiento racional, funcionaba normalmente, con pensamientos claros, precisos y lógicos. Por supuesto, yo no había tomado ningún medicamento.

El "Maestro" aparece

De pronto, un hombre que irradiaba una intensa luz blanca-dorada, se paró frente a mí. Lo primero que percibí fue que la misteriosa y brillante figura se parecía a Jesucristo.

De inmediato surgió en mi mente un poderoso pensamiento intuitivo de "sabiduría" que me dijo que esta persona era Djwhal Khul, el miembro más honorable de la Hermandad Blanca de los Maestros. Era el mismo que había dictado a Alice Bailey el contenido de los libros metafísicos que ella había publicado bajo su propio nombre.

Tanta era la brillantez que lo rodeaba, que yo no podía distinguir nada en el fondo. Todo lo que alcancé a ver fue su forma regia rodeada de luz mientras se mantenía de pie, inmóvil, delante de mí.

Noté que su cabello encrespado y dorado caía sobre sus hombros. Vestía una ropa blanca y larga. Sus brazos colgaban a sus lados, y sus pies estaban ocultos por la luz que envolvía su ser entero. Aun cuando tenía dificultad para distinguir sus rasgos faciales debido a la intensa luz que parecía emanar más fulgurante de su rostro, me pareció muy atractivo y digno.

No obstante estar envuelto por una intensa energía cósmica, yo no sentía que mi mente ni mi inteligencia estuvieran hipnotizadas o "poseídas" por la presencia de Djwhal Khul. Estaba absolutamente consciente, y era dueño de mis facultades.

—¿Cómo te va? —me preguntó Djwhal Khul.

Noté que sus labios no se movieron cuando habló. La comunicación parecía transmitirse telepáticamente. Percibí su mensaje con nitidez, pero me pareció oírlo con un "oído interior", como si su voz estuviera sonando dentro de mi mente.

Después de hacer la pregunta, esperó mi respuesta.

—Bueno, estoy luchando con mi vida espiritual —le dije tranquilamente.

Le hablé con mi mente más bien que con mis labios y cuerdas vocales. Era como si le comunicara telepáticamente mis palabras. De alguna manera "sabía" que Djwhal Khul podía comprenderme y responderme a través de una comunicación directa.

Djwhal Khul contestó entonces en términos perfectamente familiares:

—Bueno, así es como debe ser—. Percibí claramente el gesto de uno que se encoge de hombros.

Sintiéndome completamente relajado y cómodo, tomé la iniciativa y le pregunté acerca de un problema específico de salud que me había estado molestando durante algún tiempo. Esperé ansiosamente su respuesta.

—No te molestes por eso —me dijo tranquilamente.

Después de unos momentos de silencio, desapareció repentinamente, dejando tras sí la intensa aura brillante que se disipó poco a poco. Simultáneamente la sensación física se restableció. La postura de mi espalda comenzó a arquearse y fui consciente de que estaba sentado en una incómoda postura de piernas cruzadas.

La luz y la misteriosa fuerza que me habían envuelto se desvanecieron por completo. Flexioné los músculos adoloridos y me di cuenta que de pronto había comenzado a respirar de nuevo. Aparentemente había cesado toda respiración mientras estaba en la presencia de aquel "Maestro".

Me puse de pie para estirar las piernas y entonces me senté en la cama para pensar en el significado de esta experiencia.

"¡Cáspita! —pensé—, algo grande me ha ocurrido".

Recordé las enseñanzas de Djwhal Khul, tal como están registradas en los libros de Alice Bailey, de cómo un aspirante dedicado a la senda metafísica puede recibir eventualmente una recompensa por sus esfuerzos. Puede recibir el honor de ser hecho discípulo personal de los Maestros de la Hermandad Blanca. Entonces el "Maestro" aparece al discípulo para confirmarle la relación Maestro-discípulo.

Considerándome una de las personas más afortunadas de Los Angeles esa mañana, me sentí feliz de haber sido elegido para ser entrenado como discípulo personal de uno de los Maestros. Estaba especialmente emocionado por el hecho de haber sido aceptado como discípulo del distinguido Maestro Djwhal Khul, cuyos libros había apreciado y estudiado con tanta reverencia y amor. ¡Oh, cuánto admiraba la sabiduría contenida en sus escritos! Nunca antes había leído algo que me pareciera tan cautivante e inspirador. Para mí, sus obras habían relegado el conocimiento de Kant, Aristóteles y Sartre al nivel del Jardín de Niños.

Me sentía privilegiado de que en adelante le serviría a "Dios", bajo su noble representante —mi Maestro—, el venerable Djwhal Khul. Era como si mi más grande sueño y mi mayor ambición se hubieran hecho realidad.

Recordé cómo hacía pocos días había tomado un voto privado de celibato. Parecía que "Dios" me había recompensado de verdad por la decisión de renunciar a las mujeres y al sexo y buscar las cosas de "Dios", haciéndome discípulo de uno de los Maestros. Sabía que podía afrontar muchas pruebas y sentimientos de insatisfacción en la senda del discipulado, pero tenía fe en que las fuerzas del "reino celestial" me asistirían.

Estaba particularmente agradecido a "Dios" por haber pasado a través de pruebas e insatisfacciones que me habían impulsado a buscar el conocimiento existencial; porque me habían inducido a buscar la sabiduría, la comprensión, la armonía y la realización de los planes para mi vida. Y ahora, finalmente, la aparición del "Maestro" parecía confirmarme tangiblemente que mi búsqueda había sido correcta.

Repentinamente me di cuenta que llegaría tarde al trabajo si seguía allí sentado, así que salí de la casa y brinqué a mi carro. Durante el recorrido de los 40 kilómetros que distaba mi trabajo, no pensé en otra cosa que en el privilegio de ser discípulo de Djwhal Khul. Me preguntaba cuál sería el giro que tomaría mi vida ahora, aunque en realidad no me importaba. Todo lo que importaba era que debía servir fielmente al "Maestro".

Cuando llegué al trabajo, empecé a sentirme cansado. En condiciones normales trabajo muy fuertemente, pero esa mañana tenía problemas para concentrarme. Y a medida que transcurrían las horas me sentía más y más fatigado. Cerca de las once estaba exhausto, mental y físicamente. Apenas si podía mantenerme en pie, y cada músculo del cuerpo me dolía como si hubiera corrido una maratón de 40 kilómetros. Nunca antes me había sentido tan cansado, ni siquiera durante un severo ataque de influenza. Le dije a mi jefe que me sentía enfermo y regresé a casa, donde me desplomé totalmente exhausto y dormí durante muchas horas.

La visita de Djwhal Khul produjo una notable disminución de mis energías. Malinterpreté la ceguera del apóstol Pablo tras su encuentro inicial con Cristo en el camino a Damasco. Razoné que uno no se fatiga por simples sueños, vívida imaginación o alucinaciones que duran dos o tres minutos, sabía que lo que me había ocurrido era real, e involucraba un desgaste excesivo de mi sistema nervioso.

Cualquier duda que persistiera en mi mente con respecto a la existencia de seres espirituales quedó superada para siempre. La dramática visita de Djwhal Khul relegó las filosofías del ateísmo materialista al nivel de lo absurdo. Ahora tenía una fe total en el Movimiento de la Nueva Era y sus enseñanzas metafísicas.

Espíritus guías y su plan Maestro de engaño

Los libros de Djwhal Khul me fascinaron. Había leído varios de ellos con mucho entusiasmo, y había quedado cautivado por su aparente vasto conocimiento relativo al "reino de los cielos" y la forma como Dios interactúa con la humanidad a través de los mediums o energías espirituales, seres espirituales, y Maestros como Djwhal Khul y el

"Maestro Jesús". En efecto, los libros de Djwhal Khul cambiaron mi vida; cambiaron completamente mi forma de pensar, de ver el mundo y de percibir mi destino.

Djwhal Khul, a través de la comunicación telepática, había podido dictar palabra por palabra el contenido de veinticinco tomos de conocimiento metafísico esotérico a una mujer llamada Alice Bailey. Los libros, publicados entre los años 1919 y 1949, aportaron muchas de las bases doctrinales de lo que hoy es el Movimiento de la Nueva Era. Lo raro es que Alice Bailey había sido una cristiana devota y esposa de un sacerdote episcopal antes que sus amigos la convencieran para que se incorporara a la Sociedad Teosófica.

Djwhal Khul, a través de los libros escritos por Alice Bailey, pretende ser el miembro anciano de un grupo de entidades llamado "Jerarquía de Maestros". Ha engañado a mucha gente para que piense que es un emisario de Dios. A decir verdad es uno de los principales espíritus que orquesta el movimiento de la Nueva Era.

Sostiene que es un ser humano nacido hace más de 350 años en el Tibet, donde fue un tiempo abad de un monasterio budista. El afirma que a través del proceso de meditación y estrictas prácticas espiritualistas, y a través de la ayuda de los "seres celestiales", ha desarrollado de tal manera su conciencia que ha alcanzado el estado de inmortalidad en su cuerpo físico normal. Por eso asegura haber vivido durante más de cuatro siglos.

Djwhal Khul asegura haber recibido la inmortalidad por medio de una ceremonia de iniciación realizada en el "reino de los cielos", llamada la "quinta iniciación" (también conocida como el "ascenso", "la investidura de Cristo", o la "iniciación para Maestro"). Como resultado de esta iniciación cósmica, Djwhal Khul asegura haber llegado a ser miembro de un grupo de seres humanos de élite superior, que se describen a sí mismos como "seres ascendidos a Maestros" y que lograron la inmortalidad, para nunca más reencarnarse.

"Jesucristo" y la Jerarquía de Maestros

En sus libros metafísicos Djwhal Khul insiste en que hay 49 seres humanos que viven actualmente en el planeta —la mayoría de ellos en remotas áreas de los Himalayas— que han ascendido a Maestros. En su calidad de grupo organizado les llama "Jerarquía de Maestros" (también "la Hermandad Blanca", "Maestros de la Sabiduría", "la Jerarquía", o simplemente "los Maestros"). El líder de la jerarquía, el Maestro llamado Maitreya, ejerce el poder ejecutivo, o el título de "El Cristo".

Djwhal Khul afirma que "Jesucristo" es el miembro de más alto rango de la "Jerarquía de Maestros" y asevera que los grandes y legendarios gurúes de la India, tales como el Buda, forman parte de esta Hermandad. Arguye que la jerarquía está trabajando por la evolución espiritual de la humanidad en el planeta tierra, en sus aspectos religioso, político, tecnológico, científico y cultural.

Djwhal Khul afirma categóricamente que el Maestro Jesús está vivo en el planeta, y se muestra muy ocupado dirigiendo los destinos de la cristiandad transmitiendo telepáticamente ideas al subconsciente de los líderes religiosos. Enfatiza que el Maestro Jesús es un hombre que experimentó un desarrollo personal a través de sucesivas encarnaciones e iniciaciones hasta convertirse en un "hijo de Dios" inmortal, tal como ocurrió con el Maestro Buda, y otros que llegaron a ser "hijos de Dios".

Según Djwhal Khul, los Maestros pueden abandonar sus cuerpos físicos y viajar a otros lugares del planeta mediante su cuerpo "espíritu", o "alma", sin ninguna limitación de tiempo o distancia. Un Maestro también tiene, supuestamente, el poder de condensar su cuerpo espiritual en un cuerpo de luz visible, llamado el *anuvarrupa,* según la terminología hindú. Así que los Maestros estarían en su cuerpo *anuvarrupa* cuando se aparecieran a alguien como un glorioso ser deslumbrante, tal como Djwhal Khul se me apareció. El Maestro puede, a voluntad, condensar su cuerpo espiritual en forma física y ser visto, tocado, y sentido como un ser humano normal.

La Nueva Religión Mundial

Djwhal Khul afirma que, como parte de la obra de "Dios", se le ha asignado el proyecto especial de proporcionar a la humanidad las enseñanzas de la Nueva Era para el establecimiento de la Nueva Religión Mundial. Esta religión, diseñada para integrar al cristianismo a las enseñanzas orientales del Hinduismo y el Budismo dentro de una totalidad homogénea, pretende revelar la plenitud de la divinidad en todos sus aspectos. Djwhal Khul afirma que la mayor parte de su conocimiento lo recibió directamente de sus superiores "en los cielos".

Sus libros se han abierto paso a través de todo el globo. Cubren una amplia variedad de temas: desde las causas de las enfermedades, las psicosis y la posesión demoníaca, hasta el desarrollo del intelecto, el crecimiento de la población y los ciclos económicos. Millares de personas han cambiado completamente sus estilos de vida como resultado de sus escritos. Yo mismo llegué a estar tan abrumado por los conceptos y el genio intelectual de Djwhal Khul, que lo reverenciaba como a un gran santo.

Tal vez lo más importante —y lo más engañoso— sean las enseñanzas de Djwhal Khul respecto de la Santa Biblia. Demuestra que posee un vasto conocimiento con relación a las más grandes religiones del mundo y aun comenta acerca del Dios Todopoderoso, el Altísimo, y la forma como opera desde el trono celestial.

Una declaración me llamó poderosamente la atención:

"¿Qué entendemos por la frase 'fuerzas del mal'? No los ejércitos de la injusticia y la pecaminosidad, por cierto, organizados bajo ese invento de la imaginación llamado 'el diablo', o algún poderoso anticristo. Pues un ejército tal no existe, y no hay ningún gran enemigo de Dios, empeñado en luchar contra el Altísimo. Lo único que hay es una humanidad errante y sufriente".

Esta declaración fue una brillante confirmación de lo que había creído durante toda mi vida: Satanás no existe. A continuación Djwhal Khul describe lo que él considera como fuerzas del mal:

"Las fuerzas del mal son, en último análisis, los arraigados ideales y hábitos de pensamiento que han cumplido un propósito trayendo a la raza hasta su actual estado de desarrollo, pero que ahora deben desaparecer si es que la Nueva Era ha de surgir como está planeado".

Esclavizado por el "Maestro"

Impresionado por su vasto conocimiento, me sentí honrado de llegar a ser el discípulo obediente y devoto de Djwhal Khul. Poco a poco, sin embargo, el glorioso discipulado se convirtió en una pesadilla y una esclavitud.

Tenía muy poco dinero, y poco a poco fui obligado a dar todo lo que tenía para apoyar la causa de la Nueva Era. Llegó el momento en que tuve que dedicar todo mi tiempo a la obra de la Nueva Era. Creía que al obedecer sus enseñanzas y sus mandatos estaba sirviendo a Dios. Y se me prometió que como recompensa tendría salud, felicidad y abundante gozo. Incluso se me prometió la inmortalidad en esta vida. Por supuesto, ninguna de esas promesas tuvo un cumplimiento verdadero.

Así me convertí en uno de los millares de personas que servían conscientemente a un "Maestro" y a otros espíritus guías a través de una relación directa y personal con ellos. En términos generales, se puede decir que millones de personas están siendo engañadas para obedecer las indicaciones de su "conciencia superior", por medio de la "meditación" y otras técnicas diseñadas para "elevar la conciencia". Al abrir la puerta de la mente al "yo superior", en realidad lo que se hace es entrar en contacto con el "reino de los espíritus". Al principio nunca sospeché que los poderes del mundo espiritual, a los cuales me estaba dedicando, fueran los mismos contra los cuales el apóstol Pablo advirtió a la iglesia de Efeso:

"Porque no tenemos lucha contra sangre y carne, sino contra principados, contra potestades, contra los gobernadores de las tinieblas de este siglo, contra huestes espirituales de maldad en las regiones celestes" (Efesios 6:12).

La especialidad de Djwhal Khul es falsificar la religión. Es un Maestro de la falsificación que trata de engañar aun a los escogidos, de ser posible. Como cristiano usted debe estar alerta con respecto a las actividades de Djwhal Khul y sus colegas. A veces se presenta ante los cristianos como el mismo "Jesucristo", intentando hacerles creer que el verdadero Jesús los ha visitado.

Durante el período en que fui dramáticamente rescatado del movimiento de la Nueva Era descubrí que los Maestros y los otros astutos espíritus guías de la Nueva Era tienen un líder que, por supuesto, no es otro que Satanás, el diablo.

Hace mucho tiempo el apóstol Pablo nos advirtió de su poder engañoso: "Y no es maravilla, porque el mismo Satanás se disfraza como ángel de luz" (2 Corintios 11:14).

6

Discípulo de un "espíritu guía"

Cómo es ser discípulo de uno de los ángeles de Satanás? Maravilloso al principio. Muchas cosas fascinantes e interesantes comenzaron a ocurrir en mi vida. Incluso fui llevado a vivir a un cierto tipo de paraíso por un tiempo y me sentía bendecido.

Había considerado la aparición de Djwhal Khul como un asunto muy personal, de modo que no le dije nada a nadie, ni siquiera a Muriel.

Pasaron varios meses después que recibí la visita del "Maestro". Sólo unas cuantas personas asistían al servicio de sanidad de mitad de semana en el local del *Camino Luminoso*. Muriel dirigía la ceremonia del encendido de las velas.

Una pequeña vela, llamada la vela Cristo, ardía en el centro del altar. Muriel invitaba a cada persona por turno que pasara al altar, tomara una vela y la encendiera en la vela del centro. La persona entonces colocaba su vela encendida en un círculo alrededor de la vela Cristo. Después Muriel le transmitía un breve mensaje que recibía por canalización.

Pronto llegó mi turno de pasar al frente.

De pie, junto al altar, esperé que me diera su mensaje personal. Muriel cerró los ojos y me dio este mensaje: "Usted es un discípulo personal de Djwhal Khul. El lo está instruyendo a través de sus meditaciones y está implantando también formas de pensamiento en su mente durante el sueño".

Luego movió los ojos como si estuviera concentrándose en la información que llegaba a su mente. "En una vida pasada usted fue monje en el monasterio budista de Djwhal Khul en el Tibet. Y en su existencia espiritual, antes que usted se encarnara en esta vida presente, tuvo una reunión con él en el plano espiritual".

Me incliné para escuchar con mayor atención.

"Se hizo un pacto, y usted estuvo de acuerdo en que se encarnaría con el propósito definido de llegar a ser uno de sus discípulos. Se planeó darle un estricto entrenamiento, y después de lo cual ayudaría a Djwhal Khul en algunos proyectos especiales que necesitaban ser realizados en este planeta en conexión con la Nueva Era".

Muriel abrió los ojos y sonrió. Con un movimiento de sus manos arregló suavemente mi aura en la cabeza y los hombros para balancear la energía.

—Gracias —dije—, y volví a mi lugar.

Así que Muriel sabe lo de mi discipulado, pensé para mis adentros. Me pregunto qué otras cosas le habrá dicho el "Maestro" con respecto a mí.

Puesto que estaba decidido a ser un discípulo diligente de mi "Maestro", pasaba mucho tiempo estudiando las enseñanzas de Djwhal Khul, tal como aparecen en los libros de Alice Bailey. Me interesaba especialmente la información concerniente al "Cristo" y su "segunda venida".

Los libros decían que la Nueva Era prepararía el terreno para el retorno "del Cristo", una aparición física del "Maestro" que preside la Jerarquía. La obra de la Jerarquía consiste en preparar el camino para este evento; y el deber de la humanidad es aceptarlo y trabajar en armonía con sus enseñanzas y sus consejos cuando aparezca.

Aprendí que el término "el Cristo", no se refiere a una persona específica; más bien es el nombre de una función ejecutiva dentro de la Jerarquía, equivalente a decir, "el presidente" del país. Alice Bailey dice que un Maestro llamado Señor Maitreya desempeña el papel de "Cristo", y lo ha ejercido durante 2000 años. Ella enfatiza que el retorno de "El Cristo" será el mismo evento que el retorno del Mesías prometido por el cristianismo.

Muriel comentó la teoría de que; coincidiendo con el comienzo de la Nueva Era de Acuario, Maitreya actuará muy pronto en cumplimiento de otros deberes de una clase más exaltada en todo el universo. Su posición como el Cristo sería, en tal caso, tomar el mando que ocuparon otros Maestros de más alto rango como Koot Hoomi o "el Maestro Jesús".

Ella enfatizó la idea de que los Maestros necesitan discípulos humanos que les ayuden a preparar el planeta para la venida de "Cristo". Se supone que el movimiento de la Nueva Era debe proveer recursos humanos para que los Maestros puedan reclutar discípulos que trabajen en diferentes aspectos de su obra: áreas como la política, la educación, la religión, la cultura, el comercio y las finanzas.

Muriel inició las clases de meditación y canalización en el *Camino Luminoso* precisamente para entrenar ese tipo de discípulos. La Jerarquía necesitaba canalizadores dedicados que siguieran fielmente las instrucciones de los Maestros y sacrificaran tiempo, energía y dinero para llevar a cabo en fiel obediencia las instrucciones recibidas que deberían considerarse como directivas emanadas de la "voluntad divina".

En contraste con lo que ocurría en el *Camino Luminoso*, los escritos de Alice Bailey declaran que la mayoría de los discípulos de la Jerarquía no son conscientes de las relaciones que tienen con sus Maestros. Cuando el "Maestro" les comunica ideas mediante la telepatía, los discípulos ni siquiera son conscientes de lo que ocurre; simplemente piensan que las ideas son concepciones de su propia mente activa. Y supuestamente muchos de los gobernantes mundiales, economistas, filántropos y dirigentes religiosos, son discípulos de los Maestros "sin saberlo".

"Es tiempo de cambiarnos de esta casa —me dijo la voz interior de la conciencia mientras meditaba una mañana—. Quiero que vivas solo. Necesitas vivir en un ambiente donde no te distraigas tanto, donde puedas dedicar más tiempo al estudio y a la meditación".

El mensaje me llegó muy claramente. Todavía vivía en la casa de Los Angeles que había compartido con tres amigos muy íntimos durante dos años. Y me preguntaba a dónde se suponía debía mudarme. La voz interior habló de nuevo.

"Debes cambiarte a la ciudad de Torrance. Busca un departamento tranquilo, que tenga mucha luz. Te costará más, pero no te preocupes. Tú sabes que eres un bendito de Dios; todo saldrá bien".

Torrance es un suburbio de Los Angeles situado a casi 40 kilómetros al sur de donde yo vivía. Estaría más cerca de mi trabajo, pero no me gustaba la idea de vivir solo como un ermitaño. Sentí que las órdenes de cambiarme provenían de mi yo superior, y que debía obedecer por mi propio bien, aun cuando tenía mis dudas.

Mientras pensaba en la mudanza me di cuenta que mi estilo de vida había cambiado completamente desde que comencé a asistir a las clases del *Camino Luminoso* y desde que había comenzado a ser discípulo de Djwhal Khul. La orientación espiritual de mi vida ya no armonizaba con el estilo de vida secular y "mundano" de mis compañeros de cuarto. Había perdido todo interés en las cantinas y los bares. No había salido con ninguna mujer desde que hice mi voto íntimo de celibato. Mientras más comprendía cuánto material sensacionalista, obsceno, y sexualmente intencionado se presentaba en los medios masivos de comunicación, dejé poco a poco de asistir al cine. Incluso hice un esfuerzo consciente por eliminar todas las procacidades y expresiones soeces de mi lenguaje, mientras luchaba por vivir una vida piadosa y limpia.

Lejos de salir con mujeres, o disfrutar de entretenimientos "mundanales", me esforzaba por ocupar mi tiempo en el estudio de publicaciones esotéricas, en la oración y la meditación. Los paseos campestres y las visitas a los museos reemplazaron a las playas y las fiestas. Como anhelaba el reino de Dios en vez de las cosas del mundo, pasaba la mayor parte de mi tiempo contemplando mi senda espiritual y mi caminar con "Dios".

Después de cambiar lo último de mis pertenencias, me senté en el piso alfombrado de mi nuevo departamento y medité. "Bienvenido a la Hermandad Blanca —dijo una voz clara y vibrante—. Hasta el momento los Maestros están muy complacidos con tu progreso. Mereces ser felicitado por tu disposición a seguir adelante a pesar de las dificultades. Sigue avanzando. Mantente en la senda recta y estrecha. Algunas veces tiendes a trabajar demasiado. Toma tiempo para descansar. Mantén el equilibrio. Recibe mis bendiciones. Soy Sanat Kumara".

Cáspita, pensé, Sanat Kumara en persona se ha tomado la molestia de enviarme un mensaje especial. Estaba asombrado de lo claras que habían sido las palabras, como si alguien hubiera hablado realmente dentro de mi cerebro. Estaba rebosante de gozo.

Me consideraba relativamente relacionado con Sanat Kumara gracias a las enseñanzas de Djwhal Khul. Era un personaje misterioso e interesante. Al parecer, todos los Maestros superiores de la Jerarquía, incluyendo el "Cristo", estaban supervisados por este gran espíritu que no era de origen humano sino que, supuestamente, venía de Venus.

En lo sucesivo, cuando meditaba me rodeaba una luz brillante que resplandecía en mi frente. Muriel me dijo que la luz indicaba que mi centro del tercer ojo —la chakra localizada en la frente— se había "abierto".

Noté, especialmente a raíz de la visita de Djwhal Khul, que mis meditaciones eran acompañadas a veces por fenómenos místicos. Por ejemplo, en diferentes ocasiones vi que una luz brillante, multicolor, caía como una cascada de mi frente. Era como si estuviera viendo dentro de un caleidoscopio gigante. En otras ocasiones, menos frecuentes, tenía experiencias místicas más profundas. Una vez desperté a medianoche y vi que mi recámara estaba iluminada por una luz verde. Parecía que mi cuarto estaba lleno de partículas microscópicas de humo, y una luz fluorescente y verdosa parecía haberse adherido a ellas: algo parecido a una "discoteca" llena de humo policromo. A pesar de lo raro de este fenómeno, sentía que me invadía una gran paz. No había tomado ninguna clase de drogas, puesto que estaban prohibidas para los que transitábamos por la senda metafísica.

Una mañana de Navidad, al sentarme a meditar, de repente sentí que mi cerebro se llenó de una luz blanca. Experimenté una maravillosa sensación de tranquilidad y del más puro arrobamiento. Una cálida sensación de bienestar invadió todo mi cuerpo, como si estuviera sentado al sol estival y su luz penetrara hasta los tejidos más profundos de mi ser. Mientras permanecía así durante varios minutos, pensé en mi fuero íntimo cuán maravilloso regalo de Navidad había recibido de "Dios".

Un domingo de mañana, durante el servicio de adoración, y especialmente durante la ceremonia de la vela encendida, Muriel canalizó un mensaje profético para mí.

"Alguien que trabaja en la misma empresa que usted saldrá dentro de poco —dijo—, esto significa que usted será promovido y llevará mayores responsabilidades".

Tan pronto como Muriel dejó de hablar, pude oír con toda claridad un nombre en mi propia mente, Jack Thompson. Pero inmediatamente pensé que era imposible que dejara el trabajo, ya que había permanecido allí mucho tiempo. De modo que concluí que nuestro vicepresidente era el señalado en el mensaje.

Dos días más tarde, el presidente de nuestra compañía convocó a una reunión inesperada de todo el personal. Comenzó diciendo: "Los reuní para informarles que Jack Thompson va a dejar la compañía".

Un escalofrío me recorrió toda la columna vertebral.

"Jack regresa a su Estado natal de Missouri —continuó el jefe—, le deseamos lo mejor en su nueva vida. Necesitaremos, por supuesto, reorganizar el departamento para cubrir las responsabilidades vacantes".

Me sentía como si hubiera recibido una descarga eléctrica. El mensaje de Muriel había sido matemáticamente exacto. Además, cuando hizo la predicción, la voz interior de mi yo superior me había dado la identidad exacta de la persona que saldría, aun cuando mi razón había descartado la idea como ilógica. Comprendí que debía prestar una atención más cuidadosa a la voz interior de mi conciencia, pues al parecer tenía información que la razón era incapaz de conocer.

Después de la renuncia de Jack fui promovido, exactamente como Muriel había dicho. Mi confianza en su relación con "Dios" era ahora inconmovible, y estaba totalmente consagrado a la obra con ella, como parte de mi entrenamiento. Comencé a acariciar la idea de que si seguía obedientemente la senda del discipulado, podría tomar las "iniciaciones" de las que se habla tanto en los libros de Alice Bailey. Supuestamente, estos misteriosos eventos ocurren mientras un discípulo está dormido y visita "el reino de los cielos" mediante su "alma encarnada" o "cuerpo espiritual". Las enseñanzas declaran que el último objetivo del discipulado era tomar la quinta iniciación, llamada la "iniciación para alcanzar el estado de Cristo". En ella el discípulo llega a ser un Maestro y vive en arrobamiento perpetuo como un siervo inmortal de "Dios".

Pocos meses después que Muriel me diera la increíblemente exacta profecía en cuanto a mi cambio de trabajo, suspendió repentinamente los servicios del domingo de mañana en el *Camino Luminoso*, con el propósito de dedicar más tiempo a su superación personal. A fin de mantener mi ritmo de asistencia a la iglesia, tuve la impresión de que debía asistir a la iglesia más cercana a mi domicilio, la cual, por casualidad, era una congregación Luterana. En mi convicción de que caminaba con el mismo Dios me sentía feliz de adorar junto con los cristianos en sus templos.

Fue a principios de diciembre. Acababan de iniciarse nuevos servicios y clases en el *Camino Luminoso*. Durante el primer servicio dominical, mientras permanecía de pie junto al altar, Muriel canalizó un mensaje para mí.

—Usted tendrá una sorpresa en Navidad —dijo. Y no me dio más explicaciones, de modo que regresé a mi asiento.

Desde que me había integrado al *Camino Luminoso*, mi vida estuvo llena de interesantes sorpresas que se habían convertido prácticamente en algo normal, de modo que no le di demasiada importancia al último mensaje.

Justamente antes de Navidad me arrodillé frente al altar en mi departamento y comencé una sesión de oración y meditación. Allí recibí un clarísimo mensaje que provenía de la voz interior del silencio. "Tendrás que mudarte muy pronto, y este cambio te llevará a ultramar —dijo—. Pero el lugar exacto adonde te mudarás, no se te puede decir todavía".

Me sentí un tanto sorprendido. Intuitivamente comprendí que aquel mensaje era muy importante, aun cuando no se me había dicho adónde o cuándo debía cambiarme.

Pensé que retornaría a mi país, Inglaterra. También pensé que quizá los Maestros querían que me mudara a Hawaii, donde tenía muchas relaciones de negocios con motivo de mi trabajo.

La noche siguiente asistí a una sesión de canalización. Un compañero canalizó un mensaje especial para mí, en respuesta a mis preguntas con respecto a la inminente mudanza. "La mudanza que harás no es necesariamente de carácter permanente —dijo—. Pondrás de manifiesto antiguas energías. También incluye un entrenamiento más amplio bajo la supervisión de la Jerarquía. Comienza a vender las cosas que no podrás llevar contigo. Viaja con lo menos posible. Estás entrando en un nuevo ciclo de tu vida. Después de él estarás listo para comenzar la verdadera vocación de tu alma durante esta encarnación".

Tenía que ser Inglaterra, mis pensamientos apuntaban hacia allá. Muchos sentimientos encontrados me invadieron. Me emocionaba la idea de volver, pero también me inquietaba. Dejaría un buen empleo para tener que enfrentar un futuro incierto. Pero decidí confiar en los Maestros y seguir sus instrucciones.

Ofrecí esta oración de dedicación a "Dios": "Gracias, Señor, por todas tus bendiciones. Gracias porque te has revelado a mí. Pido que mi vida sea dirigida por tu divino poder. Pido que todas las ilusiones sean disipadas de mi mente y que tu verdadera voluntad se me revele. Pido que se me use como siervo de la Jerarquía. Amén".

Acudí a Muriel para tener una sesión de orientación privada, tocante a la aparente mudanza a Inglaterra. Ella entró en trance y me dio este mensaje: "Tu vida es bendita. Ten fe en Dios y mentén una actitud tranquila y gozosa. Si bien harás varias cosas en Inglaterra, la mudanza es, en principio, un peregrinaje necesario para romper viejas ligaduras y resolver viejos conflictos con tus padres".

Muriel guardó silencio por unos minutos antes de continuar: "No lo veo trabajando en un empleo permanente. Usted hará algunas cosas para la Jerarquía allá. Lo veo visitando Findhorn".

Renuncié a mi empleo, vendí todos mis muebles, regalé muchas de mis pertenencias, y volé al Reino Unido con un simple maletín que contenía todas mis posesiones.

Me sentí enfermo y sumamente preocupado por la mudanza a Londres. La desorientación resultante de no saber qué hacer o dónde vivir había dominado todo mi ser. Me hospedé en un hotel y esperé mayores instrucciones de los Maestros.

Pocos días después de mi llegada a Londres desperté una mañana muy abrumado y deprimido. Casi derramando lágrimas, decidí buscar consuelo y ánimo en la meditación. Tras permanecer sentado en silencio durante unos instantes, repentinamente una explosión de energía me sobrecogió. La sentí como una especie de descarga eléctrica que explotó dentro de mi cuerpo, y escuché la voz de "Dios", como si se abriera paso hasta mi oído interior diciendo: —¡Debes ser fuerte y seguir adelante!

Si no hubiera estado sentado en una silla la fuerza de la energía me habría lanzado al suelo. La explosión duró unos dos segundos. Y después de una pausa de otros dos segundos, la explosión de energía me golpeó nuevamente.

—¡Debes ser fuerte y seguir adelante! —repitió la voz.

Inmediatamente la misma explosión de energía me hirió por tercera vez.

—¡Debes ser fuerte y seguir adelante! —exclamó una vez más.

Después hubo un silencio.

Era tranquilizador saber que "Dios" me estaba ayudando. Sentí paz. Mi fe había sido reactivada, y seguí adelante con valor.

Presintiendo que debía permanecer en Londres alquilé un pequeño departamento en la calle Earl, en el barrio de Court. No tenía la menor idea de cuán larga sería mi estancia o qué se suponía debía hacer. Quizá se ha decidido que sea una mudanza permanente, pensé. De todas maneras, supongo que durará hasta que reciba mayores instrucciones.

Después de esa milagrosa explosión de energía de parte de "Dios", esperaba que mis problemas de salud desaparecieran. Desafortunadamente, me esperaba la desilusión. Mis enfermedades continuaron. Sólo mi valor y mi fe habían sido aumentados por la demostración del poder de "Dios".

Durante el día me dedicaba mayormente a buscar empleo. Por las noches me consolaba con la idea de tomar parte en diversas actividades de varias organizaciones de la Nueva Era. Me agradó mucho una visita que hice al centro londinense de Lucis Trust, organización que publicaba las obras de Djwhal Khul escritas por Alice Bailey.

Los domingos por la mañana asistía a los servicios religiosos de una iglesia anglicana que estaba cerca. La tristeza y el desaliento se apoderaban de mí al ver cuán pequeñas eran las congregaciones de Inglaterra comparadas con sus templos. Por años la religión había perdido popularidad, y muchos templos fueron abandonados o convertidos en almacenes. El secularismo se había instalado. Consideraba que el movimiento de la Nueva Era constituía la nueva esperanza que llenaría el vacío espiritual.

Una mañana, mientras meditaba, se me ordenó hacer un peregrinaje a la famosa catedral de Canterbury, iglesia madre de todas las iglesias anglicanas del mundo. Pasé momentos maravillosos en Canterbury y dediqué el día entero a recorrer sus salas históricas con su gran cantidad de arcos y murallas. Mientras meditaba en el santuario, recité oraciones e invocaciones ocultas y realicé un ritual imaginario, en el cual visualicé la catedral y las iglesias hijas llenas de la "luz de Cristo", canalizada por la jerarquía de los Maestros.

Visité varias otras grandes catedrales. En cada ocasión, pasé tiempo meditando y orando en el santuario, terminando siempre las sesiones con invocaciones ocultas y rituales metafísicos imaginarios.

Para el Movimiento de la Nueva Era, Findhorn era su Vaticano. Al llegar, quedé casi abrumado por la comunidad de casi 400 personas, localizada en una hermosa sección de las tierras altas escocesas. Aquí Satanás ha plantado un paraíso para los seguidores de la Nueva Era.

La voz interior me dijo que visitara esta Meca de la Nueva Era después de seis meses de mi llegada a Inglaterra. Mi concepto de Findhorn se reducía a algo así como un pequeño centro de retiro localizado en el norte de Escocia. Muriel me había dado el mensaje de que debía visitar Findhorn, aunque a decir verdad, yo había olvidado todo lo relacionado con su profecía después de salir de los Estados Unidos.

Cargué mis maletas en el coche y me dirigí a la parte norte de Escocia donde había localizado la villa de Findhorn en un mapa. Pensé que mi estancia en Findhorn sería, a lo más, de unos dos días. Pero los Maestros tenían otros planes.

Esta Ciudad del Vaticano de la Nueva Era comenzó en 1962 con un pequeño vagón donde vivían tres personas adultas y tres niños. Bajo estos humildes comienzos Satanás obró un milagro al edificar esta máxima institución educativa de la Nueva Era.

La comunidad comprende hoy en día un gran estacionamiento para casas rodantes con prados y edificios de la comunidad, y un hotel con 87 cuartos que luce como un hermoso castillo, un bello auditorio con instalaciones para impartir clases de arte, una casa publicadora con una imprenta, y varias mansiones completas con extensos jardines. La comunidad ha sido sede de conferencias internacionales, y muchos miles de visitantes han pasado por sus puertas para asistir a los programas educativos que ofrece.

Y la comunidad no la forma un puñado de hippies. La mayoría de las personas que conocí allí son profesionales preparados en universidades. Durante mi estancia me hice amigo de un ex jesuita, profesor de un seminario y varios psicólogos, por citar sólo algunos.

La doctrina principal de la filosofía de Findhorn es que una "energía de Cristo" o "conciencia de Cristo" reside en cada persona. Si alguien medita, puede tener acceso a esta infinita fuente de "sabiduría" que reside dentro de cada uno en forma del "Cristo yo", o yo superior. El propósito de las enseñanzas de Findhorn es entrenar a la gente para que se ponga en sintonía con el "Cristo" interior y lo utilice como guía de su vida.

Lo que al principio pensé que sería una visita de unos dos días pronto se convirtió en una estancia de dos meses que no daba señales de terminar. Mi "guía" me dijo que cuando meditaba permaneciera en la comunidad y que participara en el programa de largo alcance para visitantes. Esto incluía trabajar en los diferentes departamentos de la comunidad.

Durante la mayor parte del tiempo trabajé para el departamento de publicaciones, ayudando en la edición y manufactura de los diversos libros, revistas y folletos de la Nueva Era que se publicaban en Findhorn. Estos eran libros como *Reflections Upon the Christ*, de David Spangler y *Earth at Omega*, de Donald Keys; este último propone la idea de un solo gobierno mundial como medio para transformar el mundo y resolver los cruciales problemas que afronta el planeta. Keys es el fundador de *Ciudadanos Planetarios*, organización de la Nueva Era que busca el cambio a través de la acción política. Ha sido un consultor de las Naciones Unidas durante mucho tiempo.

La supervisora de los colaboradores visitantes del departamento de publicaciones era una encantadora anciana que había vivido en Findhorn durante muchos años. Ella me confió una vez que era cristiana y que consideraba a "Jesús" como su Maestro. Me relacioné con muchos otros miembros de la comunidad que habían sido anteriormente Maestros de Biblia; uno de ellos había sido sacerdote. Al parecer, en algún momento de su peregrinación cristiana, habían tomado una ruta equivocada.

Como parte de un programa de orientación de dos meses, diseñado para integrar a la gente a la feligresía regular de la comunidad, se me pidió tener una entrevista con dos miembros del departamento de personal de la comunidad. Esto les ayudaría a decidir si era apto para ser miembro regular. Después de explicarles mi situación y contestar sus preguntas, los tres realizamos una sesión de meditación. Durante ella, una brillante luz resplandeció en mi frente. La energía era tan potente que el sillón donde estaba sentado parecía vibrar. Esto me infundió ánimo y pensé que mi solicitud de llegar a ser miembro permanente estaba de acuerdo al orden "divino".

Jay, un canadiense barbado, de complexión delgada, era el jefe del departamento de personal. El tomó la palabra durante la meditación. "Considerando los mejores intereses del yo superior de Will, ¿qué podemos aconsejar?", parecía pedir señales al reino espiritual.

Siguió un breve silencio. En mi mente oí las palabras: "Sí, está en el 'orden divino'; que se una".

Jay concluyó la meditación y confirmó que había recibido una indicación positiva de que era la voluntad de "Dios" que llegara a ser miembro regular.

Comencé a vislumbrar mi perfil en la vida como un tipo de sacerdote. Rechacé mis ambiciones pasadas —éxito profesional, comodidad financiera, y posición social— y acepté la nueva imagen de un trabajador humilde para Dios en mi calidad de monje de la Nueva Era, viviendo una vida sencilla y haciendo buenas obras. Me prometí a mí mismo trabajar para la elevación de la humanidad a través del servicio abnegado.

Se me permitió unirme al personal de publicaciones como miembro permanente de la comunidad. Me sentía muy feliz de ser miembro de la más famosa organización de la Nueva Era, y veía en el porvenir la maravillosa oportunidad de trabajar para los Maestros.

Una aguda desesperación se apoderó de mí. Me acababa de despertar esa mañana e intuitivamente "sabía" que debía salir de Findhorn y volver a Los Angeles. La noticia, repentina y totalmente inesperada, me dejó deshecho. Hacía sólo una semana que me habían aceptado como miembro regular de Findhorn.

No me pregunte cómo me sentía, pero era evidente que para mí, el tiempo de mi estancia en Finhorn había terminado, y que los Maestros querían que regresara cuanto antes al *Camino Luminoso*. Era como si la idea de regresar hubiera sido implantada en mi cerebro mientras dormía.

Recordé haber leído que los Maestros tenían la habilidad de implantar "formas de pensamiento" en la mente de un discípulo durante el sueño. Cuando éste despierta, dichas "formas de pensamiento", manifestadas como poderosas ideas, exigen atención y acción. Pensé que alguna "forma de pensamiento" había sido implantada en mi mente esa noche.

Había llegado a amar la vida en Findhorn. Había hecho muchos amigos y no deseaba dejar un paraíso como aquél. Tras vivir en las hermosas tierras altas de Escocia durante seis meses, temía regresar a la ciudad de Los Angeles, llena de contaminación y agitación.

Finalmente me levanté de la cama, me vestí y me dirigí al santuario. Sería necesaria mucha meditación antes de estar listo para dejar mi amado hogar.

Los días que siguieron dediqué horas y horas a una silenciosa contemplación en el santuario. Por alguna razón, me sentía como enfermo y aprensivo; la tristeza me invadía con sólo pensar en regresar a Los Angeles. Pero la voz interior de la conciencia me confirmaba reiteradamente la necesidad de retornar. Finalmente pensé que si quería seguir sirviendo a mi amado Maestro, no tenía más que obedecer la indicación que se me había dado.

¿Qué pensará Jay en el departamento de personal?, me preguntaba. Acababa de prometerle que permanecería en Findhorn cuando menos un año. Siendo que la voz interior de mi yo superior no me permitía decir a otras personas que era discípulo personal de Djwhal Khul, debía encontrar una explicación razonable para justificar mi abrupto cambio de planes.

Me acerqué a Jay un tanto avergonzado mientras hacía fila en el comedor de la comunidad.

—Jay, tengo malas noticias para usted. Tengo que abandonar la comunidad —le dije.

—Oh, bien, no me sorprende en absoluto. ¿Por qué no viene a verme mañana? —replicó Jay.

Afortunadamente comprendió mi difícil situación, ya que había recibido inesperadas indicaciones de "Dios". Pude salir con mi integridad intacta y se me dejó la puerta abierta para regresar cuando quisiera.

Dos años después volví a visitarlos —como un cristiano nacido de nuevo—, con el mensaje evangélico de salvación en Jesucristo.

7

Llevado hasta el límite

Muriel —le pregunté—, ¿por qué quisieron los Maestros que dejara Findhorn y regresara a Los Angeles?

Yo había llegado en avión el día anterior y estaba teniendo una sesión privada de aconsejamiento con Muriel en el *Camino Luminoso*. Ella daba orientación profesional psicológica y espiritual como medio de sostener financieramente la obra del Centro metafísico. La mayoría de los clientes no eran alumnos regulares. Algunos buscaban seriamente psicoterapia. Otros, orientación psíquica o sanidad para sus enfermedades.

Muriel canalizó para mí el siguiente mensaje:

—Los Maestros querían que visitara Findhorn, pero no que se quedara allá en forma permanente. Ellos sabían que le gustaría mucho el lugar y arreglaron una prueba de su obediencia. También querían que aprendiera y creciera en experiencia al ponerse en contacto con otros estilos de vida.

Muriel no estaba en trance, pero había canalizado con los ojos abiertos, como si estuviera conversando informalmente. Al parecer, sus años de práctica la habían capacitado para canalizar mientras estaba en estado consciente normal, como parte de la rutina diaria. Luego continuó:

—Al volver, ha crecido y ha alcanzado cierta madurez y comprensión. Ahora siente un fuerte impulso de servir y ayudar a otros.

Al escuchar atentamente concordé con lo que decía.

—La Nueva Era no puede reducirse a simples grupos de personas que viven en remotas comunidades —explicó—. Estos retiros son buenos, pero no constituyen la Nueva Era. Nuestro camino y nuestro deber son integrarnos totalmente al mundo e iluminarlo. La integración es una senda mucho más difícil que la vida en un retiro. Los Maestros lo necesitan a usted en Los Angeles para ayudar a abrir el sendero que significa estar en el mundo, pero no ser del mundo.

Después de una pausa pregunté con cierta preocupación:

—¿Debo tratar de volver a mi antiguo empleo?

—Usted debe saber que es bendito de "Dios" —replicó—. Las puertas se le abrirán. Vaya y vea a su antiguo jefe. Si es la voluntad de "Dios", todo saldrá bien.

Mi antiguo jefe estuvo encantado de verme. Después de pensar un poco me ofreció un empleo e inicié mi trabajo comercial nuevamente.

Cuando volví a asistir a las clases en el *Camino Luminoso* noté un cambio en el énfasis de las enseñanzas de Muriel. En vez de centrar la atención en la canalización de los Maestros, ahora canalizaba "al Padre". El cambio fue sutil, pero las enseñanzas tenían ahora más sabor devocional y religioso que las enseñanzas metafísicas y psíquicas.

Muriel declaraba vez tras vez haber realizado una cierta iniciación que la capacitaba para canalizar al "Padre" directamente. En el grupo empezamos a dedicar tiempo a orar al "Padre", casi como se estila en una iglesia cristiana. Incluso la canalización estaba disfrazada de lenguaje semejante al de la Biblia. Durante una de las sesiones de canalización en el círculo de las velas encendidas un estudiante canalizó el siguiente mensaje: "Cuando se despierte por la mañana y comience el día vaya primero al "Padre" en oración y pregúntele: 'Padre, ¿qué quieres que yo haga en este día para glorificar tu nombre?"

Esta canalización dejó una profunda impresión en mí. La siguiente mañana levanté un pequeño altar en mi departamento. En la parte superior coloqué un par de candeleros de plata que contenían dos altas velas blancas. El altar tenía también dos incensarios. Después de encender las velas y quemar un poco de incienso, me arrodillé ante el altar y oré, "Padre, ¿qué quieres que haga este día para glorificar tu nombre?"

Después medité y me dispuse a recibir cualquier instrucción que el "Padre" tuviera para mí. Decidí que cada mañana iniciaría mi período devocional de oración y meditación con esta invocación al "Padre".

Una noche me acosté como de costumbre. Al cerrar los ojos sentí que una energía suave y sedante inundaba mi cuerpo entero. Al abrir los ojos de nuevo vi la recámara llena de luz verde, como si una lámpara de arco verde hubiera sido encendida para iluminar el cuarto.

Concluí que los Maestros estaban enviando luz al cuarto. Traté de dormir pero no pude hacerlo. Cada vez que abría los ojos vi que el cuarto estaba lleno de esa luz verde. Sentía una profunda serenidad y una sensación de paz. No dormí nada esa noche.

Temía sentirme muy cansado en el trabajo al día siguiente, pero para mi sorpresa descubrí que estaba lleno de energía, como si hubiera tenido una excelente noche de descanso.

La siguiente noche ocurrió exactamente lo mismo. No dormí ni una pizca, pero sentía una gran tranquilidad a medida que mi cuarto se llenaba de luz. Otra vez la luz mística —pero ahora de color azul— estuvo presente toda la noche.

Por la mañana me sentía perfectamente renovado. Trabajé duro ese día, estaba lleno de energía y muy alerta en todo, pese a no haber dormido ni un segundo durante dos noches consecutivas.

En la siguiente clase le pregunté a Muriel qué pensaba al respecto.

—Los ángeles te han estado visitando y dándote energía sanadora —declaró, como si estuviera canalizando la información.

Desafortunadamente yo no veía ningún efecto de esta "energía sanadora" sobre mis problemas de salud; mis enfermedades todavía me acompañaban. Pensé que quizá mis síntomas desaparecerían más tarde, pero estaba desilusionado porque ninguna sanidad verdadera se produjo. De hecho, mientras más tiempo estaba asociado al movimiento de la Nueva Era, mi salud empeoraba, a pesar de los numerosos "sanamientos" de Muriel y de otros "sanadores" de la Nueva Era durante servicios especiales y sesiones privadas.

Varios meses después sorpresivamente Muriel me llamó por teléfono mientras me encontraba en mi oficina.

—Anoche el Padre me despertó —dijo—. Me habló y me dijo que necesitaremos $6,000 dólares a fin de preparar nuevo material de lecciones y comenzar una campaña intensiva de anuncios promocionando las nuevas clases del *Camino Luminoso*. El "Padre" me instruyó que llamara a los discípulos para pedirles que contribuyan a este proyecto".

Sin más rodeos le dije:

—Está bien Muriel, veré qué puedo hacer.

Yo siempre había dado no menos de veinte dólares de ofrenda durante nuestros servicios dominicales por la mañana. En varias ocasiones di una generosa ofrenda de cien dólares. Sin embargo, era la primera vez que Muriel me pedía directamente que hiciera una donación especial para sostener la obra del *Camino Luminoso*.

Después del trabajo fui a un cajero automático para ver cuánto dinero tenía en mi cuenta. Había poco más de 500 dólares: eso era todo el dinero que poseía. Mi viaje a Inglaterra y mi estadía en Findhorn me llevaron a la bancarrota.

Confiando firmemente en la habilidad de mi "Dios" para encargarse de mis necesidades financieras, decidí inmediatamente enviar a Muriel un cheque por quinientos dólares. Era todo el dinero que poseía, ¿qué más podía hacer? Ni siquiera lo pensé. Simplemente llené el cheque y lo deposité en el correo. Me sentía feliz de ser un hijo de "Dios" y saber que estaba bajo el cuidado y la protección especiales de mi "Maestro". Tenía una total confianza en Djwhal Khul y su capacidad para ayudarme a planear sabiamente mi vida y obtener cualquier recurso que necesitara.

Dos días después me desperté con un incómodo sentimiento interior. Un poderoso pensamiento en mi mente me decía que debía enviar otros quinientos dólares a Muriel inmediatamente.

Me levanté y procedí a realizar mi meditación matinal. Comencé con la oración y dije:

—Padre, ¿qué quieres que haga hoy para glorificar tu nombre?

"Envía otros $500 dólares", confirmó la voz interior de mi yo superior.

No me sentí bien con esa respuesta, máxime que no tenía más dinero. Pero cuando revisé mis cuentas, descubrí que con el sueldo que me pagarían a la mañana siguiente, contaría con suficientes recursos para cubrir el cheque. Concluí que éstos eran tiempos en los que se requería de nosotros ciertos sacrificios, aunque no estuviera de acuerdo en recortar demasiado mis finanzas.

Cuando deposité el cheque en el correo noté que el sentimiento de incomodidad desapareció, como si una liberación hubiera ocurrido en mi sistema nervioso como respuesta obediente a la indicación interior.

Conocía a Muriel hacía más de cuatro años, y ella me había dicho que desde el tiempo en que había iniciado sus actividades el *Camino Luminoso*, hacía unos veinte años, había usado todos sus recursos personales para sostener los crecientes gastos de las operaciones del Centro. Me dijo que incluso había tenido que vender su casa para financiar la obra de los Maestros. Su sacrificio había sido enorme.

Sabiendo que Muriel pertenecía a una familia culta y rica, comprendí que debe de haber sido muy difícil para ella pedirme dinero, aun cuando los fondos fueran para ser utilizados en el financiamiento de la obra de la Jerarquía. No tenía absolutamente ninguna duda de que ella había sido dirigida específicamente por su espíritu guía para pedir a los discípulos que hicieran donaciones especiales.

Un par de días después de enviar el segundo donativo, un agobiante sentimiento me invadió hasta los tuétanos desde el momento en que desperté. En el centro de mi cerebro estaba el poderoso pensamiento de que debía enviar más dinero a Muriel. Intuitivamente sentí que la cantidad que debía enviar eran mil dólares.

Atemorizado pensé para mis adentros: "No, esto no puede ser. Ya no tengo un solo centavo. Esta idea no puede ser más que desvaríos de mi subconsciente descontrolado".

Sentí que lo mejor que podía hacer era meditar en forma más profunda para entender lo que estaba pasando.

—Padre, ¿qué debo hacer este día para glorificar tu nombre? —pregunté sinceramente en mi oración.

La meditación matinal fue tensa. No podía concentrarme claramente debido a mi turbulento estado emocional. Así que decidí ir a mi trabajo y meditar más tarde en el asunto, cuando regresara a casa por la noche.

Al volver del trabajo, como de costumbre, encendí las velas y quemé algo de incienso sobre el altar de mi departamento. Me arrodillé delante del altar, y oré:

—Querido Padre celestial, te pedí que me dieras una clara señal concerniente a las donaciones financieras requeridas por el *Camino Luminoso*. Por favor, revélame claramente si quieres que envíe otros $1,000 dólares ahora.

Después me puse a meditar mientras todavía estaba de rodillas, sosteniendo mis manos en actitud de oración.

La voz interior de la conciencia me habló suave pero claramente. "Sí —dijo—. Debes enviar un cheque por mil dólares ahora mismo. Se necesita dinero para llevar a cabo la obra de dar a conocer la Nueva Era a más gente. Necesitamos más gente en la senda del discipulado".

En mi interior protesté:

—¿Cómo es posible que se me pida más dinero cuando ya no tengo ni un solo centavo en mi cuenta?

La voz interior de la conciencia respondió inmediatamente:

—Tienes tarjetas de crédito; úsalas.

Una terrible aprensión se apoderó de mí. La región de las chakras de mi columna vertebral estaba muy caliente.

Entonces protesté, ya que mis tarjetas de crédito las tenía como una fuente de la cual echar mano sólo en casos de emergencia.

—Esta es una emergencia —me reprochó la voz interior—.

El dinero se necesita ahora para hacer mi obra.

Después de unos momentos de contemplación, de muy mala gana decidí poner fin a mi resistencia y enviar el dinero, aun cuando me sentía muy incómodo y tenso por todo lo que estaba ocurriendo.

Hice el cheque y lo llevé a un buzón cercano. En el momento de echar el sobre en el buzón, mi aprensión desapareció instantáneamente. La ansiedad se desvaneció, como si por arte de magia alguien la hubiera quitado de sobre mí.

Esta vez me quedé sin fondos para transferir de la tarjeta de crédito a mi cuenta a fin de cubrir el cheque. Al pensar en mis finanzas, razoné que siendo realista sí podía cubrir lo que había dado y ser capaz de pagar pronto la cuenta de la tarjeta de crédito.

Dos días después, cuando desperté por la mañana, una melodía sonaba en mi mente. Podía oír la letra en forma tan clara como si estuviera escuchando la radio a través de los audífonos:

Llévalo hasta el límite.
Oh, jo, jo.
Llévalo hasta el límite.
Oh, jo, jo.
Llévalo hasta el límite...

Recordé que esta canción había sido un éxito musical hacía varios años. Acompañando la melodía fraseaba el poderoso pensamiento de que necesitaba enviar otro cheque de $1,000 dólares a Muriel. En mi imaginación podía ver claramente un cheque con la cifra $1,000 dólares escrita sobre él. El horror se apoderó de mí.

—¡Oh, no! ¿Cuándo terminará todo esto? —exclamé desesperado.

Salté de la cama y pensé: "Nada de pánico; quizá la idea de dar más dinero no es más que un desvarío emocional. Seguramente "Dios" no querrá que me endeude, menos ahora que ya no tengo absolutamente nada en mis cuentas. Traté de conservar la calma y ser objetivo. Quizá ahora los Maestros sólo están bromeando conmigo.

Mientras me duchaba, la música de la canción todavía invadía mi mente.

Llévalo hasta el límite,
Oh, llévalo al límite,
la, la, la
Llévalo al límite,
Oh, jo, jo
Llévalo al límite...

Me sentí deprimido y terriblemente frustrado por lo que estaba ocurriendo y decidí no enviar nada por el momento. Todo el día, mientras trabajaba, la música seguía sonando en mi mente, una y otra vez, sin detenerse un solo instante. Nunca antes había cantado esa canción; es más, ni siquiera era de mi preferencia, aunque podía recordarla mientras sonaba en las tragamonedas de las cantinas que frecuentaba antes.

Decidí no cometer el error de endeudarme para enviar más dinero a fin de financiar el Centro de Muriel; me negué a enviar un solo centavo más. Además, a veces dudaba acerca de algunas cosas que Muriel decía. Siempre me había preguntado si sería verdad que todas sus indicaciones y mensajes procedían realmente de una fuente "divina". Siempre había sospechado que uno o dos canales extraños podrían haber provenido de entidades astrales.* A veces Muriel decía cosas que no concordaban con el pensamiento de Djwhal Khul registrado en los libros de Alice Bailey. A veces decía cosas que sencillamente sentía que no eran correctas. Consideré que mi decisión de no enviar más dinero era definitiva.

Aunque mi decisión estaba tomada, no afectó la forma como me sentía. Una severa depresión comenzó a invadirme. Era como si estuviera bajo el embrujo de una opresión. La letra de la canción, "Llévalo al límite..." me bombardeaba constantemente. No importaba qué hiciera para borrar estas palabras de mi mente simplemente no lo lograba. Estaban allí cuando comía, cuando hablaba por teléfono, cuando usaba la computadora y cuando trataba deliberadamente de entonar otra canción.

Acuciantes mandatos acompañaban la letra de la canción.

"Mil dólares, mil dólares", repetía.

Al llegar a casa después del trabajo, medité. La voz interior me reprendía severamente.

—¡Debes enviar el dinero. Envíalo ahora!

Por un momento decidí no escuchar la voz de mi yo superior. Quería silenciarla. Pero era imposible.

Llévalo al límite,
Oh, jo, jo.
Envíalo, envía el cheque.
Mil dólares.
Llévalo al límite,
la, la, la.

Caí de rodillas ante el altar, y oré:

—Querido Padre celestial, vengo ante ti con todo mi corazón y te pido que me des sabiduría y esclarezcas mi mente. No quiero hacer nada que sea necio. Por favor, muéstrame claramente qué quieres que haga con respecto al sostenimiento financiero del *Camino Luminoso*. Pido que me ayudes a mantenerme en armonía contigo, y que tú me protejas de toda influencia astral falsa.

---

*La metafísica postula que existen entidades de baja inteligencia en los niveles inferiores del reino del espíritu, o planos astrales. Estas entidades incluyen duendes, diablillos, y fantasmas. Se pretende que a veces un canalizado o médium puede recibir mensajes por accidente de estos traidores seres astrales.

Después de una pausa, continué la oración:

—Padre, he sido sincero cuando cada día comienzo mi meditación con las palabras: ¿Qué quieres que haga hoy?

—Usa tu tarjeta de crédito —dijo la voz, como si fuera un trueno.

Pensé hasta dónde más llegaría esto.

—También quiero que solicites inmediatamente un aumento de tu línea de crédito —interfirió la voz, mientras un escalofrío me recorrió toda la columna vertebral—. No te preocupes. Serás bendecido en todo lo que hagas —me aseguró mi yo superior—. El Padre está contigo.

Yo estaba horrorizado. La agobiante depresión se intensificó. Comprendí que estaba resistiendo la voluntad de "Dios".

Pensé para mí mismo: "Si envío ahora estos mil dólares, ¿querrán luego los Maestros que envíe aún más dinero?"

Concluí que era mejor escribir el cheque. No podía soportar la tensión, la ansiedad y la depresión un minuto más. La letra de la canción me estaba volviendo loco.

Mientras escribía el cheque pensé si no sería la resistencia a la voluntad de Dios la que me había producido aquella terrible depresión.

Me dirigí al pequeño buzón. Tan pronto como deposité el cheque en él, la agobiante depresión desapareció instantáneamente. También noté que la música cesó en mi mente. En el agradable silencio me volví a sentir "normal".

Cuando desperté a la mañana siguiente lo primero que hice fue una introspección. Nada, fuera de lo común, había en mi mente. Ninguna poderosa "forma de pensamiento" me decía que debía hacer mayores donaciones de dinero. Di un profundo suspiro de alivio.

Más o menos una semana pasé en relativa paz. Pero una mañana desperté con una nueva idea implantada en mi mente. Necesitaba donar $2,000 dólares al *Camino Luminoso*.

—¡Oh, no! No más —protesté airado.

Con vacilación me bajé de la cama y tomé una ducha. Mientras me bañaba, de repente la música y las palabras, "Llévalo hasta el límite, oh, jo, jo....", volvieron a resonar en mi mente. La música y las palabras eran tan claras como si los audífonos estuvieran conectados a una grabadora. Oír cada nota en estéreo era una experiencia asombrosa pero a la vez horripilante.

"¿Qué puedo hacer ahora?", me pregunté en voz alta.

No había respuesta. Todo lo que alcancé a oír era la canción. "Llévalo hasta el límite..."

Después de vestirme caí de rodillas frente al altar.

Mientras meditaba, en mi mente comenzó a configurarse la imagen de un cheque con el número $3,000 escrito en él. Pensando que tres mil dólares era una cantidad absurda, decidí escribir inmediatamente un cheque por $2,000 sin protestar o resistirme. No deseaba, de ninguna manera, correr el riesgo de ser envuelto por aquella terrible depresión otra vez. Si la Jerarquía quería los otros mil dólares, los tendría. No podía correr el riesgo de soportar aquel dolor por mil dólares. Era mejor hacer lo que querían, y librarme del sufrimiento.

Razoné que los Maestros sabían lo que hacían; simplemente tendrían que ayudarme a salir de todas las deudas acumuladas. No tenía caso resistir.

Después de enviar el cheque por $2,000 dólares, transferí fondos de mi tarjeta *Visa* a mi cuenta para evitar que el cheque rebotara. Qué alivio fue no sentir más ansiedad aquel día. Era mejor obedecer que oponer una resistencia inútil a la voluntad de "Dios".

Creía que mediante mi obediencia estaba ganándome un lugar en el reino de "Dios", y que sería bendecido con una recompensa de gozo y abundancia por cada centavo gastado en la preciosa obra de "Dios".

Al día siguiente, la canción estaba allí nuevamente a la hora indicada. "Llévalo al límite, una vez más".

Intuitivamente supe que necesitaban $1,000 dólares más.

El énfasis de la canción estaba ahora en la frase, "una vez más". Me pregunté si el énfasis quería decir que este cheque sería el último.

La voz interior explicó:

—Debiste enviar los tres mil dólares como se te ordenó ayer. Envía los mil dólares faltantes ahora mismo.

Escribí el cheque inmediatamente. Este elevó mi donación total, en menos de dos semanas, a la suma de $6,000 dólares, exactamente la cantidad que Muriel había solicitado.

La música no volvió, quizá porque mis tarjetas de crédito habían llegado a su límite.

A estas alturas de mi experiencia con la Nueva Era, yo estaba llegando a ser totalmente poseído por los espíritus de demonios. Ya no tenía capacidad para oponerme a la manipulación telepática de mis emociones ni al control de mi conciencia. Cambios increíbles estaban a punto de producirse en mi vida.

8

El Centro de la Nueva Era estudia la Biblia

El Padre me ha revelado que la Biblia contiene gran sabiduría y poder —anunció Muriel al comenzar una nueva serie de clases de capacitación para discípulos. Noté curiosamente que la Biblia estaba sobre sus rodillas cuando se sentaba frente al pequeño grupo.

—El me ha indicado que inicie estudios bíblicos en el *Camino Luminoso* —continuó—. En estas clases vamos a usar la Biblia como nuestra principal fuente de consulta.

Quedé sorprendido al escuchar el anuncio de Muriel. Nunca imaginé que nuestro Centro de la Nueva Era estudiaría la Biblia.

Muriel abrió la enorme Biblia de letras extra grandes. "Leeré del Evangelio de Marcos —dijo—. En el capítulo once, versículo veinticuatro, Jesús habla acerca de la fe y del poder de la oración. El dice: 'Por tanto, os digo que todo lo que pidiereis orando, creed que lo recibiréis, y os vendrá'.

Con una leve inclinación, puso la Biblia sobre la alfombra junto a la silla donde estaba sentada e inició una disertación acerca del texto citado. Enfatizó que, cuando uno va al Padre en oración con un pedido, es importante creer que ya se recibió lo solicitado.

—Si, por ejemplo, usted ora por sanidad —explicó—, después de haberlo hecho, debe creer que ya ha sido sanado, aun cuando los síntomas no hayan desaparecido.

Sentía algo extraño al participar en esta primera clase de estudio bíblico. Siempre había sido un estudioso entusiasta de los escritos de Djwhal Khul, y cuando Muriel canalizaba a los Maestros. Pero, por alguna razón, no quería involucrarme en las enseñanzas de la Biblia. Desde que me uní al movimiento de la Nueva Era, había creído que la Biblia estaba bastante pasada de moda.

Después de la clase hicimos una sesión de meditación de grupo y oramos al "Padre" para que la obra del *Camino Luminoso* fuera bendecida. También oramos por nuestras necesidades personales.

"Jesucristo" aparece y realiza un "milagro"

Durante una de las clases de Biblia en el *Camino Luminoso* Muriel nos contó muy emocionada una maravillosa experiencia que había tenido hacía poco.

—Mientras estaba en el Motel Brentwood Holiday, me desperté a media noche. Para mi asombro, un hombre estaba de pie allí, en medio de mi cuarto en aquel hotel.

Muriel abrió exageradamente su boca y enarcó las cejas, prefigurando una impresión de asombro. Luego continuó:

—Me sobrecogió un estupor al verle de pie allí, frente a mí. Era como de dos metros y medio de altura y tenía un porte digno y de gran autoridad. Me dijo: "arrodíllate".

Muriel hizo una pausa como esforzándose por recobrar el aliento. Mis ojos estaban fijos en ella.

—Por segunda vez me habló en tono firme: "Arrodíllate. Yo soy Jesucristo, y voy a sanarte". Eso fue exactamente lo que dijo. Yo estaba paralizada por la fuerza de su presencia.

Muriel nos contó que saltó de su cama y se arrodilló ante el misterioso ser. Luego pasó a describir a la persona que estuvo frente a ella.

— "Jesús" es un ser muy bien parecido. Tiene la cualidad innata de un poderoso hombre de negocios o de un distinguido político. Sin embargo, su perfil es sereno y posee un cierto carisma que indica su divinidad y gran sabiduría. Si la gente piensa que Jesús es un tipo flacucho y acomplejado, se va a llevar una gran sorpresa.

Aun cuando el relato de Muriel me pareció fantástico, no había la menor duda de que aquello había ocurrido exactamente como ella lo describía. Conocía a Muriel hacía varios años y cultivé una sólida confianza en su persona.

—Es pode-r-r-r-r-oso —dijo fuertemente—. El tocó mi cabeza con sus propias manos. Tras bendecirme, caminó derecho y pasó a través de la sólida puerta cerrada con llave de mi cuarto, y desapareció por el corredor.

Después de la milagrosa visita que "Jesucristo" le hiciera a Muriel, el *Camino Luminoso* comenzó a cambiar notablemente, adquiriendo una atmósfera mucho más cristiana.

Toda mi orientación filosófica parecía desmoronarse con estas nuevas enseñanzas de la Biblia y comencé a sentirme incómodo. Sin embargo, razoné que el "Maestro Jesús" era, después de todo, un personaje muy importante de la Jerarquía, y por lo tanto, era correcto que estudiáramos lo que él había enseñado y que estaba registrado en la Biblia.

Recordé, lo que había leído en los libros de Alice Bailey, que el "Maestro Jesús" era responsable de supervisar a toda la cristiandad. Tomando en cuenta su posición como uno de los grandes Maestros, concluí que valdría la pena relacionarse con sus enseñanzas. Ellas bien podrían complementar mi conocimiento metafísico de las disertaciones de Djwhal Khul.

En uno de los estudios bíblicos Muriel hizo una exposición sobre el uso del nombre de "Jesús" en la oración. Al leer la Biblia Muriel citó las palabras textuales de Jesús. "Y todo lo que pidiereis al Padre en mi nombre, lo haré, para que el Padre sea glorificado en el Hijo. Si algo pidiereis en mi nombre yo lo haré" (Juan 14:13, 14).

Muriel comentó:

—En este texto del Evangelio de Juan, Jesús les dice a sus seguidores que pidan lo que necesitan, en su nombre. El nombre de Jesús es el más grande del universo, y siempre debería invocarse cuando oramos".

Miró a la clase seriamente.

—Cuando oren —dijo—, deben dirigir sus oraciones al "Padre", tal como Jesús instruyó a sus discípulos que hicieran cuando les dio el Padrenuestro como ejemplo. Sin embargo, cuando pidan cosas al orar, pídanlas en el nombre de Jesús. Es el nombre más poderoso que pueda pronunciarse en toda invocación.

Luego Muriel nos dijo que "el Padre" le había pedido que comprara un televisor y viera los programas religiosos, especialmente los de Kenneth Copeland y Kenneth Hagin.

—Debo estudiar sus técnicas de predicación. Me dijo que, de entre los evangelistas cristianos, ellos son los que más se semejan a la Nueva Era. "El Padre" quiere que aprenda de ellos a fin de fortalecer mi propio ministerio aquí en el *Camino Luminoso*.

Luego Muriel nos instó a que comenzáramos a ver estos programas evangélicos por la televisión tantas veces como fuera posible. Pero dado que yo consideraba la televisión en general como un foco de contaminación, lleno de basura impía, no había tenido hasta entonces un aparato tal, y por lo mismo no conocía a los predicadores que Muriel mencionaba. Pero decidí escuchar a dichos predicadores por la radio (de mi automóvil) tan a menudo como pudiera.

"Jesucristo" aparece a un Maestro

Con el nuevo énfasis dado a "Jesucristo" en el *Camino Luminoso*, un intrigante pensamiento afloró a mi mente. Recordé una visita que había hecho a cierta iglesia un domingo de mañana a la hora del servicio efectuado por la Self Realization Fellowship (SRF), organización hindú con sede en Los Angeles.

El servicio se llevó a cabo en una hermosa capilla situada en el Centro Lake Shrine, de la organización, a unos cinco kilómetros del sitio en que estaba situado el *Camino Luminoso*, al cual asistía para recibir mis clases de metafísica. Lo que más me impresionó de la capilla de la SRF fueron las seis grandes pinturas que estaban frente al altar y que representaban a los gurús históricos que se relacionaban más estrechamente con la organización. Una de las dos pinturas del centro era de Jesucristo. En esas circunstancias me hice muchas preguntas en cuanto a por qué esas sectas hindúes tenían una alta estima por Jesucristo. Sin embargo, no había investigado el asunto.

Pero con el nuevo énfasis puesto por el *Camino Luminoso* en las enseñanzas de Jesús, me sentí impulsado a visitar nuevamente la capilla de la SRF y preguntar a los monjes acerca de su relación con el cristianismo.

En vista de que llegué muy temprano, tomé asiento en el santuario. Pronto la capilla se llenó hasta su límite para el servicio matutino, y una gran multitud comenzó a congregarse en los jardines, desde donde escuchaban el servicio a través de los altavoces.

El programa empezó con cantos sagrados. El "pastor" —que tenía apariencia de monje— vestía una sotana tradicional hindú, de color rojo. Después de una sencilla introducción al sermón, se procedió a una breve meditación, seguida por el resto del sermón.

El sermón tenía una curiosa característica: una mezcla de enseñanzas hinduista y cristiana, aunque las primeras parecían prevalecer. El programa terminó con una oración en la cual toda la congregación estuvo de pie y mantuvo los brazos en alto.

Después le hice algunas preguntas al monje más importante —un hombre fofo y calvo que vestía un saco rojo semejante a una bata de médico. Al parecer el saco era el uniforme que usaban los monjes de la secta.

—¿Cree usted en el diablo? —le pregunté.

El monje sacó una Biblia y me leyó varios pasajes. Me impresionó su profundo conocimiento de la Biblia. Tuvimos una interesante discusión. El me recomendó comprar la *Autobiografía de un Yoga*, escrita por Paramahansa Yogananda, fundador de esa organización.

Al leer el libro descubrí que Yogananda había nacido en la India y se había educado en un ashram hindú durante varios años antes de emigrar a Norteamérica. Yogananda había sido enviado a los Estados Unidos por su gurú para que estableciera un monasterio en occidente a fin de diseminar las enseñanzas hinduistas entre los occidentales. En respuesta a este sueño profético Yogananda escogió una mansión en Los Angeles como el lugar ideal para su centro monástico.

Casi al final del libro, encontré un pasaje que contestaba mi pregunta acerca del porqué SRF tenía tanto respeto por Jesús.

"Uno de los períodos más felices de mi vida fue el que dediqué a dictar mi interpretación de una parte del Nuevo Testamento para la *Self Realization Magazine*. Le supliqué con mucho fervor a "Cristo" que me guiara en la intepretación del verdadero significado de sus palabras, muchas de las cuales han sido desafortunadamente malinterpretadas a través de los siglos".

Quedé impresionado por el entusiasmo de Yogananda mostrado en las Escrituras del Nuevo Testamento. Continué leyendo su historia con mucho fervor.

"Una noche, mientras me encontraba en ferviente oración silenciosa, el lugar donde estaba sentado en la ermita de las Encinitas se llenó de una luz opalescente azulada. Contemplé la forma radiante del bendito "Señor Jesús". Parecía un joven de unos 25 años, con una barba escasa y bigote: su largo cabello negro, partido por el centro, estaba rodeado de un halo color dorado.

"Sus ojos eran maravillosamente bellos; mientras los contemplaba eran infinitamente cambiantes. Comprendí intuitivamente la sabiduría que transmitían. con cada transición divina en su expresión. En su gloriosa mirada percibí el poder que sostiene las miríadas de mundos en sus órbitas. Se veía un cáliz sagrado en su boca; éste descendió hasta mis labios y luego regresó a la boca de "Jesús". Después de unos momentos pronunció hermosas palabras, de naturaleza tan personal, que prefiero conservarlas en mi corazón".

Considerando la forma de pensar de aquellos días comencé a apreciar lo que parecía ser una maravillosa combinación de las diversas religiones del mundo; "Jesús" había aparecido a los hindúes como Yogananda, así como a los cristianos, entre ellos el reverendo Hagin. Percibí que todas las religiones no eran sino parte de un todo divino que estaba en pleno surgimiento, y era el objetivo de la Nueva Era integrar todos estos diversos pensamientos teológicos en una sola religión armoniosa.

El ideal de la Nueva Era parecía un bello concepto: tener unidad en la diversidad como para revelar la plenitud de Dios y producir una sociedad llena de amor, comprensión e interdependencia. Esta sería la Nueva Era del amor, la luz y el gozo del reino de los cielos en la tierra.

La convención de Kenneth Copeland

Muriel parecía mencionar el nombre de Kenneth Copeland casi en todas sus clases de Biblia. A través de los programas radiales pude apreciar que este predicador de Fort Worth, Texas, en verdad parecía ser un buen orador. Sin embargo me mantenía escéptico acerca de las aseveraciones de Muriel en el sentido de que este predicador se inclinaba por algunas de las ideas rudimentarias de la Nueva Era. Por lo menos a mí, me parecía que sus programas eran ciento por ciento bíblicos.

Mientras escuchaba uno de sus programas radiales me llamó la atención el anuncio de un evento denominado The West Coast Believer's Voice of Victory Convention (Convención "La voz de la victoria" de los creyentes de la costa occidental). El mismo se celebraría muy pronto en el Centro de Convenciones de Anaheim. Era la oportunidad para oír predicar a Copeland, y a los principales miembros de su personal. Pensé que sería una buena idea asistir a este evento y escucharlo en persona. Quizá descubriría algo acerca de este predicador que no había podido apreciar al escucharlo por radio.

—¿Ya se registró señor? —preguntó el hombre bien uniformado que estaba a la puerta cuando entré al vestíbulo del Centro de Convenciones. Ya podía oír los cantos y los gritos de aleluya que salían de la arena.

—No, no permaneceré mucho tiempo, gracias —le dije pasando de largo.

No quería habérmelas con ninguna inscripción, puesto que no pensaba quedarme mucho tiempo, mi ser molestado por un viejo predicador pasado de moda. Había venido a escuchar a Copeland, mayormente por consideración a Muriel.

La enorme arena interior estaba repleta de aproximadamente seis mil adoradores. Entre los presentes había quienes lloraban; otros proferían palabras ininteligibles que, según pensé, debían ser "las lenguas". Algunas personas oraban, otras buscaban apresuradamente textos bíblicos, unos más comían ávidamente palomitas de maíz o deglutían sodas enlatadas como si estuvieran en un juego de béisbol. Nunca antes había visto algo igual.

Mientras buscaba un lugar donde sentarme, noté que las filas de la parte superior estaban vacías. "Me sentaré allá arriba, lejos de estos cristianos bulliciosos —me dije a mí mismo—. De otra manera, alguna misteriosa energía emocional podría apoderarse de mí". Djwhal Khul había enseñado que la energía emocional no es buena para quienes andaban en la senda metafísica.

Al llegar a mi asiento observé todo lo que ocurría, como cualquier espectador curioso e imparcial. Un hombre estaba cantando en la plataforma. Al terminar comenzó a hablar. Deduje que era Kenneth Copeland en persona y admití que realmente era un artista bien dotado.

Después de una breve lectura de la Biblia, Copeland procedió a exponer su sermón. Me pareció un excelente predicador pero, desafortunandamente, su tema contenía las mismas antiguallas que yo había oído desde mi niñez. Habló acerca de cómo evitar que el diablo nos arrebate el gozo que deben sentir los cristianos.

Me pregunté cómo era posible que Muriel lo considerara un personaje especialmente inspirado por Dios y que poseía un nivel de conciencia que lo inclinaba hacia las ideas de la Nueva Era. Yo no veía nada extraordinario en él, y llegué a la conclusión de que probablemente Muriel estaba equivocada. Pero para ser justo, debía oír un poquito más.

Esperé sentado alguna nueva información extrabíblica. Esperé y esperé. Todo lo que escuché fue un sermonear de viejo cuño, con una buena dosis de textos bíblicos. Después de escuchar durante una media hora empecé a aburrirme.

Me dije a mí mismo: "Me alegro de haber venido. Ahora sé que este evangelista no debe ser tomado muy en serio, después de todo, aun cuando Muriel esté muy impresionada". No había punto de comparación entre el conocimiento de este traficante bíblico y las vastas e intrincadas enseñanzas metafísicas de Djwhal Khul. Me parecía, incluso, que Muriel misma tenía mucho más conocimiento concerniente a las cosas divinas que los cristianos más destacados.

Aun cuando me aburría más y más, y ya me imaginaba caminando de vuelta a casa un tanto decepcionado, una extraña fuerza interior parecía impulsarme a permanecer en mi asiento. De modo que me quedé y traté de concentrarme en lo que el hombre decía.

Pero finalmente mi aburrimiento se hizo intolerable, de modo que salté de mi asiento y caminé hacia las escaleras. Ya de camino a casa, pensé: "Bien, aquí se acaba Copeland. Retorno a los libros de Alice Bailey y a los comentarios de Muriel sobre la Biblia".

Pero en mi meditación matinal del día siguiente, recibí una sorprendente indicación:

—Esta noche, regresa a la convención de Kenneth Copeland —me ordenó la voz interior de la conciencia.

—Ummmmm —me dije a mí mismo.

Decidí hacer lo que se me ordenaba. Quizá los Maestros querían que conociera a alguien allí, o quizá Copeland me enseñaría algo, después de todo; quizá necesitaba aburrirme doblemente para convencerme, de una vez por todas, que los grandes predicadores bíblicos no sabían mucho de lo que hablaban.

Esa noche llegué muy temprano a la convención y me senté en el mismo lugar aislado de la noche anterior. Para mi sorpresa, me gustaron los cantos, e incluso levanté mis manos en algún momento. Luego comenzó a predicar Copeland nuevamente. Otra vez me desilusioné; su tema era bíblico. Mientras más hablaba, más me aburría.

Finalmente decidí meditar. Inclinándome hacia adelante, hacia el borde del asiento, enderecé mi espalda en forma vertical y comencé las acostumbradas visualizaciones ocultas, los encantamientos y las invocaciones. Después de unos 20 minutos, terminé la meditación visualizando la energía de "Cristo" llenando la arena.

Inmediatamente, tuve la impresión de que debía quedarme hasta el fin del programa de la noche. Copeland terminó y yo volví a casa convencido de que ésa había sido mi última visita.

Pero no sería así. A la mañana siguiente, durante mi meditación, recibí una especie de descarga eléctrica cuando se me dijo que debía asistir otra vez a la convención esa noche después del trabajo. Recordé el viejo proverbio "ours is not to question why, ours is but to do or die" ("nuestra parte no consiste en preguntar por qué, sino en actuar o morir").

Cuando salí del trabajo manejé los cincuenta kilómetros hasta el Centro de Convenciones y me fui derecho a mi asiento de "costumbre".

Mientras Copeland predicaba, algo que dijo llamó poderosamente mi atención repentinamente. Un escalofrío recorrió mi espina dorsal mientras involuntariamente me puse sobre el borde del asiento para escuchar bien sus palabras.

Le oí describir una visión que "Dios" le había dado hacía poco. Copeland dijo que "Dios" le había indicado que "Jesús" pronto comenzaría a aparecer en forma física en las iglesias. "Jesús", quizá acompañado de sus ángeles, sería visto caminando por los pasillos y entonces desaparecería. Esto ocurriría en varias iglesias con creciente frecuencia.

Esta aseveración sonó como dinamita en mis oídos. Cáspita, pensé, esto es interesante. Muriel predijo exactamente lo mismo. Ella nos dijo recientemente en el *Camino Luminoso* que "Jesús" aparecería durante nuestros servicios religiosos.

De hecho, recordé que Muriel había hecho una predicción muy similar hacía unos cuatro años. En esa ocasión, la predicción se refería a los Maestros de la Jerarquía. La Jerarquía había informado a Muriel que ciertos Maestros más importantes, tales como san Germán, Koot Hoomi, o Djwhal Khul, se materializarían en forma física y serían vistos en el *Camino Luminoso*, tal vez sentados tranquilamente durante algunos minutos en uno de los asientos durante nuestos servicios metafísicos de los domingos por la mañana.

La aparición de los Maestros sería parte de la "externalización de la Jerarquía". Esto es, supuestamente, un proceso en el cual los miembros de la Jerarquía aparecen en forma física, vistos por el mundo, a fin de promover las enseñanzas de la Nueva Era en una forma más dinámica que antes.

Mientras estaba en la convención, concluí que Muriel tenía razón al declarar de que Kenneth Copeland era un predicador inspirado por el "Maestro Jesús". Al menos parecía expresar algunas de las ideas de la Nueva Era. Recordé que en un programa radial que había escuchado, Ken Copeland decía que era posible recibir "revelación de conocimiento" directamente de "Dios" a través de la oración y por medio del poder del "Espíritu Santo". Al parecer, el mismo había recibido un conocimiento especial.

De pronto, creció mi entusiasmo, pues quizá la Jerarquía estaba obrando a través de algunos evangelistas cristianos, después de todo, tal como Muriel lo afirmaba. Sintiéndome un poco más cómodo con relación a los creyentes cristianos, me pregunté si otros predicadores no estarían igualmente influidos en forma directa por la Jerarquía, aun cuando ellos mismos no estuvieran conscientes de ese hecho. Al final de la reunión salí del Centro de Convenciones y volví a casa manejando mi automóvil a través de la carretera mientras las palabras y la música del canto final sonaban inspiradoramente en mi mente:

Mi corazón entona esta canción,
Cuán grande eres, oh, Jehová,
Te exalto a ti, con toda mi alma y ser,
Grande eres tú, grande eres tú.

9

El Centro de la Nueva Era se "convierte" al cristianismo

Dos semanas después de la convención de Kenneth Copeland, Muriel hizo un anuncio extraordinario durante la clase de estudio bíblico de mitad de semana.

—"Jesús" me ha dicho que los Maestros de la Jerarquía ya no tendrán parte en las actividades del *Camino Luminoso* —declaró—. Ahora sólo estamos conectados con "Jesús de Nazaret", "el Padre" y "el Espíritu Santo". Se me ha informado claramente que no vamos a estudiar ninguna otra enseñanza que no sea de la Biblia.

Habíamos trabajado con los Maestros durante muchos años y no podía creer que la declaración radical de Muriel fuese cierta. Finalmente razoné que, siendo que habíamos estado estudiando la Biblia durante varias semanas, quizá la supervisión espiritual de nuestro Centro metafísico ahora sería dirigida por el "Maestro Jesús", y que los cambios que estaba haciendo eran necesarios.

Recordé haber leído en los libros de Alice Bailey que la supervisión de un grupo es transferida con mucha frecuencia de un Maestro a otro. Esta práctica se supone es parte de un "proceso divino" conocido como *movimiento de energía divina*. Parecía razonable que, si en adelante seríamos supervisados por el "Maestro Jesús", nos concentráramos en la Biblia; en consecuencia, desligaríamos nuestra obra durante un tiempo de los otros Maestros.

Había pasado una semana desde que Muriel hizo el desconcertante anuncio. La noche anterior al estudio bíblico de mitad de semana, desperté durante la noche. Mientras permanecía en estado de somnolencia, recibí un claro y extraño mensaje.

—Debes adoptar una religión convencional —dijo la voz interior. Profundamente impresionado, tomé nota mentalmente del mensaje antes de dormirme de nuevo.

Cuando desperté a la mañana siguiente, el mensaje todavía estaba en el centro de mi frente. Si bien lo escribí en mi diario, no sabía a qué se refería la expresión "religión convencional".

Un poco más tarde ese mismo día, asistí a la clase de estudio bíblico. Sólo un pequeño grupo volvió y nos sentamos en círculo. Muriel comenzó su clase.

—Anoche "Jesús" me despertó y me dijo que Djwhal Khul no es uno de los nuestros —declaró sorpresivamente. Me incliné hacia adelante para oír lo que decía de mi Maestro.

— "Jesús" me explicó que las enseñanzas de Djwhal Khul son inexactas. El no es un ser perfecto. Djwhal Khul no puede ser parte del *Camino Luminoso*, y menos, ahora que estamos siguiendo a "Jesucristo".

Me pregunté a dónde quería llegar Muriel. Me di vuelta para mirar a mi amigo Pedro y observé su reacción. Sus ojos relampagueaban y me dirigió una profunda mirada, luego se volvieron hacia Muriel. Era tan evidente su sorpresa, al igual que la mía.

— "Jesús" me ha dicho que Djwhal Khul ha caído —continuó—. Deseó el conocimiento y se llenó de orgullo. Esto lo indujo a considerarse autosuficiente y más inteligente de lo que realmente era. Estaba totalmente equivocado en sus declaraciones registradas en los libros de Alice Bailey con respecto a la identidad de "Jesús".

Empecé a sentirme bastante incómodo con lo que Muriel decía. ¿Cómo podía referirse así a mi amado Maestro? Quedé sumido en el silencio mientras continuaba explicando:

—Jesús de Nazareth no descendió de los hombres, como pretende Djwhal Khul. Jesús es un ser divino. Es el Hijo Unigénito de Dios. Fue la divinidad inmersa en la carne humana. El es Dios. Jesús no es un Maestro que ha tenido vidas pasadas. Djwhal Khul estaba equivocado. Jesús es el Cristo. Tiene más poder que cualquier otro Maestro".

Entonces agregó, con una sonrisa que más bien se me antojó una mueca:

—Es posible que Djwhal Khul sea Satanás.

Yo estaba pasmado.

Sumamente airado, estuve a punto de saltar y salir abruptamente del salón, en protesta por la blasfemia contra mi amado Maestro Djwhal Khul y sus enseñanzas. Pero me contuve y traté de asumir una actitud de alerta y oír el resto de la revelación de Muriel. Ella continuó:

En la Biblia Jesús dice, 'Yo soy el camino, la verdad y la vida, nadie viene al Padre, sino por mí'. Esto es absolutamente cierto; no hay otra forma de alcanzar la vida eterna sino a través de Jesucristo. Usted no puede obtener la inmortalidad por medio de un Maestro. Un Maestro o un gurú pueden elevar su estado consciente, pero en algún momento todos tienen que venir a Jesús. Es únicamente por medio de él que una persona puede recibir la vida eterna.

Ahora me sentía en estado de choque. Era la única vez en seis años de asistir al *Camino Luminoso* que sentía deseos de salirme del grupo. Fue torturante para mí oír las descabelladas declaraciones de Muriel. Me sentí aliviado cuando terminó la clase y salí inmediatamente.

Estaba defraudado, airado y confuso a medida que conducía rumbo a mi casa, y recordé el mensaje que había recibido la noche anterior. La misteriosa voz interior me había dicho que debía adoptar una religión convencional. Empecé a preguntarme si no sería la voz del "Espíritu Santo" que me compelía a ser cristiano. No sabía qué creer, y ciertamente no aceptaba como cierto el testimonio de Muriel. Mi gran pregunta era: ¿Será posible que las iglesias cristianas tradicionales enseñen la verdad acerca de Jesús?

La duda se había apoderado de mí, no obstante asistí la siguiente semana al estudio bíblico del grupo. Me preguntaba qué increíbles anuncios haría Muriel ahora.

Ella comenzó con otra impactante declaración.

— "Jesús" me ha estado explicando muchas cosas. Cada noche me ha despertado y me ha dicho la verdad acerca de él y del plan de salvación. Me ha dicho que escriba las cosas antes que las olvide, de modo que he escrito los mensajes en un cuaderno a medida que el me hablaba.

Muriel se veía perfectamente relajada mientras disertaba.

— "Jesús" me dijo que él ha intervenido en el *Camino Luminoso* para llevarme a la vida eterna y capacitarme para transmitir este conocimiento de la vida eterna a otros. El me dijo que estaba siendo influida por agentes satánicos y corría el riesgo de ser arrastrada por falsas doctrinas y medias verdades. "Jesús" me está enseñando ahora acerca de la resurrección.

Me sentí inseguro e intimidado a medida que toda mi filosofía era desbaratada por los nuevos conceptos fundamentales que Muriel exponía.

— "Jesús" me ha dicho que el *Camino Luminoso* ya no es un centro metafísico —declaró—. Debemos reorganizarnos como iglesia cristiana. Tendremos que cambiar también nuestro nombre.

Sentí como si, de pronto, todo mi sistema de creencias hubiera sido quitado de debajo de mis pies.

—Debemos cantar muchos himnos de hoy en adelante —continuó—. También debemos orar y estudiar mucho la Biblia. Definitivamente ya no estudiaremos ninguna de las enseñanzas de Djwhal Khul. Muriel tomó su Biblia y leyó varios pasajes. Luego tuvimos una sesión de oración seguida de una breve meditación y terminamos la reunión recitando el Padrenuestro.

Me fui directamente a casa. La confusión me atormentaba. Cuando entré en mi departamento, caí de rodillas delante del altar y oré con todo mi corazón: "Padre celestial, te suplico que me bendigas dándome sabiduría y claridad de mente para que pueda discernir todas estas cosas. Te suplico que el *Camino Luminoso* sea protegido de caer bajo la influencia de fuerzas astrales falsas. Que tu verdad prevalezca. Padre celestial, te pido todas estas cosas en el nombre de Jesucristo. Amén".

Durante mis meditaciones la voz de la conciencia me aconsejaba afirmativamente que no abandonara el *Camino Luminoso*, sino que continuara asistiendo a las clases, aun cuando no comprendiera los cambios que se estaban produciendo allí. Todavía sentía profundo amor por Djwhal Khul y me resistía a cortar mis relaciones con él. Me preguntaba, ¿cómo podría Djwhal Khul ser satánico?

Poco a poco comencé a razonar que quizá Jesús era en realidad el Hijo Unigénito de Dios y ahora me estaba llamando a su redil. Un pensamiento predominó en mi mente. Muriel había sido el instrumento que me condujo de nuevo a la senda religiosa. Era evidente que ella sabía mucho más que yo acerca de los "asuntos divinos", por lo tanto, debía considerar cuidadosamente sus declaraciones.

En la siguiente clase, Muriel relató nuevamente lo que le había enseñado "Jesús", durante la semana anterior. Enfatizó que hay sólo una senda que conduce a la vida eterna, y que esa era la senda cristiana. "Al final, todas las personas que siguen las enseñanzas del hinduismo tendrán que aceptar el cristianismo a fin de ser salvos y obtener la vida eterna", afirmó.

Hizo énfasis en el hecho de que para obtener la salvación uno debe creer en Jesucristo, ser su discípulo, y llegar a ser uno de los "santos" descritos en el libro de Apocalipsis.

Muriel nos dijo que los libros esotéricos eran impuros y falsos, y nos aconsejó a estar en guardia contra los espíritus astrales engañosos que están tratando de desviar a la gente. "Estos espíritus o demonios, tratarán de influir sobre ustedes y apartarlos de la senda cristiana", advirtió.

Tomando su enorme Biblia, comenzó a leer. "Vestíos de toda la armadura de Dios, para que podáis estar firmes contra las asechanzas del diablo. Porque no tenemos lucha contra sangre y carne, sino contra principados, contra potestades, contra los gobernadores de las tinieblas de este siglo, contra huestes espirituales de maldad en las regiones celestes" (Efe. 6:11, 12).

Nos explicó que este pasaje de la epístola del apóstol Pablo a los Efesios nos advierte acerca de los poderes perversos y las potestades que actúan furtivamente en el mundo espiritual. Necesitamos ir a Jesús en oración y pedirle nos cuide y proteja de estas fuerzas satánicas.

La idea de fuerzas "satánicas", me intrigó. Era un concepto que Djwhal Khul había repudiado, y no era que sus declaraciones importaran demasiado. Según una disertación anterior de Muriel, ella supone que Djwhal Khul es Satanás. Me pregunté si ella creería realmente en la existencia de Satanás.

Mi atención se centró una vez más en su diálogo.

—"Jesús de Nazareth es el Cristo —declaró—. El es Dios. Por su propia voluntad se encarnó y humanó para llevar sobre sí el karma, o pecado del mundo a fin de dar a la humanidad la oportunidad de obtener la vida eterna. Por medio de su muerte en la cruz, él quitó el karma de la humanidad. Si aceptamos a Jesús como nuestro Salvador personal, nuestro karma personal es quitado de nosotros, el toma nuestro lugar y nos conduce a la inmortalidad.

Nunca antes había oído a Muriel hablar con tanto poder. Sus palabras hicieron un profundo impacto en mi psique. Sonaban como si el cristianismo fuera la religión más cercana a Dios, después de todo.

Levantando mi mano, pregunté:

—Muriel, ¿usted cree realmente que hay un ser supremo del mal llamado Satanás?

—No estoy segura —replicó—. "Jesús" sólo me ha hablado acerca de "fuerzas satánicas". Es posible que haya un gran demonio llamado Satanás. Jesús dice en la Biblia: "El que no es conmigo contra mí es". Todo el que no es cristiano es satánico, en cierta medida.

No quería ahondar en la pregunta, de modo que me callé. Tuvimos una sesión de oración intercesora y otra vez concluimos con el Padrenuestro.

Durante toda la siguiente semana escudriñé profundamente mi alma. Por medio del estudio de la Biblia y ferviente meditación comencé a aceptar la idea de que "Jesús", en realidad, no era de origen humano ni producto de la evolución, como Djwhal Khul había afirmado. Concluí que Jesús era en realidad el Rey de reyes y Señor de señores; decidí abandonar toda relación con los Maestros y aceptar a Jesús como mi Salvador personal.

Me arrodillé en oración, me humillé ante él y clamé a Dios: "Amante Padre Celestial, gracias por enviar a tu Hijo a morir por nuestros pecados. Gracias por darme esta nueva luz. Te doy gracias porque ahora estoy salvo al creer en Jesús. Te doy gracias por la vida eterna, merced a la muerte de Cristo en la cruz. Gracias por su misión que hizo posible que recibiera el perdon de mis pecados y se me suprimiera mi karma. Pido que me des sabiduría para comprender tu plan de salvación. Todo esto lo pido en el nombre de nuestro Señor Jesucristo. Amén".

Por entonces el *Camino Luminoso* funcionaba temporalmente en la casa de Muriel, y no celebrábamos servicios los domingos por la mañana. Muriel nos sugirió que asistiéramos a cualquier iglesia cristiana todos los domingos de mañana para adorar al "Señor". Ella dijo que "Jesús" le había indicado que asistiera a una iglesia específica de su barrio. Sin embargo, nosotros podíamos asistir a la iglesia que quisiéramos.

Atendiendo al consejo de Muriel asistí a los servicios de muchas denominaciones de mi vecindario. Los sermones no eran tan fascinantes como las pláticas de Muriel, pero disfruté la oportunidad de adorar al "Señor".

En respuesta a las indicaciones provenientes de "Jesús", Muriel reorganizó el *Camino Luminoso* como una iglesia cristiana, eligiendo el nombre de *Nuevo Camino Luminoso*. Comenzaríamos como una iglesia de hogar y después alquilaríamos un local en un centro comercial. Nuestros folletos de promoción fueron retocados ahora con el lema: "Jesús es el Señor".

En mi diario personal anoté que el primer culto del domingo por la mañana lo celebramos a principios de enero.

Eramos un pequeño grupo reunido en la sala del departamento de Muriel, sentados en sillas plegadizas acomodadas muy prolijamente. El culto comenzó con un servicio de canto de himnos contemporáneos, seguidos después por un himno tradicional. Muriel oró y pidió bendiciones para la obra del *Nuevo Camino Luminoso*. Al terminar la oración hizo esta invocación: "Que todo lo que hagamos glorifique al Hijo. Pedimos todo esto en el nombre de Jescristo".

Después de sentarnos, ella leyó algo del evangelio de Juan. "De cierto, de cierto te digo, que el que no naciere de nuevo, no puede ver el reino de Dios... De cierto, de cierto te digo, que el que no naciere de agua y del Espíritu, no puede entrar en el reino de Dios" (Juan 3:3, 5).

Muriel siguió la lectura de la Escritura con un sermón basado en la necesidad de llegar a ser un cristiano renacido. Declaró que en algún momento, en el futuro inmediato, cuando tuviera acceso a una alberca, podríamos ser bautizados en el agua por ella. "Por ahora, tenemos que nacer de nuevo aceptando a Jesucristo como nuestro Salvador personal", declaró.

Después del sermón Muriel dirigió una ceremonia de las velas encendidas. Era similar a la ceremonia de las velas encendidas que habíamos celebrado durante años cuando la nuestra era una iglesia metafísica.

Cada persona pasaba por turno al frente y se ponía delante del altar. Tomaba lumbre de otra vela que estaba encendida llamada la vela Cristo, que flameaba en el centro de la mesa que servía de altar, y la ponía al lado de ella.

Muriel pedía a cada persona que se arrodillara frente al altar. Ponía sus manos sobre la cabeza y recitaba una bendición. Luego procedía a canalizar un mensaje personal de "Dios" para esa persona.

Por las palabras de Muriel deduje que ahora la vela Cristo se consideraba una representación de Jesucristo mismo, y no un mero símbolo de la "energía de Cristo", término que usábamos cuando éramos una iglesia metafísica.

Cuando llegó mi turno de ir al altar, Muriel me dijo que me arrodillara y tomó mis dos manos para orar.

—¿Necesitas ser curado de algo? —preguntó.

—Sí —le contesté—, he estado teniendo problemas gastrointestinales otra vez.

Muriel puso sus manos sobre mi cabeza y oró: "Padre, que estás en los cielos, te pedimos que sanes la sensibilidad que Will tiene en su estómago. Pedimos que sea totalmente sanado desde los dedos de los pies hasta la mollera de la cabeza. Pedimos todo esto en el poderoso nombre de Jesús".

Acto seguido comenzó a canalizar un mensaje personal:

—Tú eres bendito por el "Padre". Serás uno con "El". Debes separarte de todas las enseñanzas metafísicas, tira todos tus libros, y quédate con la Biblia sola, y ven a la presencia personal de "Jesús".

Fue muy difícil para mí aceptar este mensaje. Yo había llegado a amar todos mis libros esotéricos. Al regresar a casa medité en el consejo que había recibido.

La voz interior de la conciencia me habló: "Venid a mí y yo os daré descanso. Buscad primeramente el reino de Dios y su justicia, y todas estas cosas os serán añadidas", dijo.

Avanzando por fe, decidí entregarme completamente a "Cristo".

Eché a la basura todos mis libros metafísicos, limpié todo mi departamento de libros, revistas, volantes de propaganda y folletos que hablan de la Nueva Era. Decidí usar mi tiempo libre para meditar, orar y leer la Sagrada Biblia de Dios. Considerándome un cristiano nacido de nuevo, aspiré a llegar hasta la misma presencia viviente de Jesús, el único medio de salvación.

Este nuevo enfoque no significaba que hubiera abandonado todas mis creencias metafísicas. Al contrario, todavía me aferraba a muchas de ellas. Sin embargo, a medida que leía la Biblia, algunas de estas creencias comenzaron a ser tamizadas, por así decirlo.

Por ejemplo, leí un pasaje en el cual el escritor de los Hebreos hace una declaración totalmente opuesta a la doctrina de la reencarnación. "Y de la manera que está establecido para los hombres, que mueràn una sola vez, y después de esto el juicio" (Heb. 9:27).

En mi mente intenté armonizar esta declaración con mis creencias respecto de la reencarnación, asumiendo que el escritor bíblico ignoraba lo relacionado con las vidas pasadas. Sencillamente en aquel tiempo no se había avanzado lo suficiente en el desarrollo de la conciencia y del conocimiento para poder saber que el hombre se encarna varias veces.

Incluso Muriel todavía hablaba de sus vidas pasadas. Concluí que si la doctrina de la reencarnación era inexacta, no había dudas de que "Cristo" nos advertiría pronto de nuesto error.

Mis meditaciones me motivaron a vivir una vida santificada y a abandonar el mundo secular aún más de lo que lo había hecho mientras estaba en la senda metafísica. Consideraba mi departamento como un monasterio de un solo monje.

Me arrodillaba con frecuencia frente al altar, tenía velas encendidas y quemaba incienso, y a veces combinaba las oraciones con meditaciones mientras permanecía de rodillas durante una o dos horas. Todavía practicaba los rituales metafísicos de la visualización y la invocación, pero los modifiqué para ajustarlos a mi nueva fe. Mi objetivo era buscar la presencia viviente de "Jesucristo" y obedecer la voz del "Espíritu Santo".

—Tú entrarás en una nueva y más estrecha relación con "Jesús" —decía el mensaje que Muriel canalizó para mí una tarde que estaba de pie frente a ella en el altar. Celebrábamos nuestra ceremonia de las velas encendidas. Los ojos de Muriel estaban cerrados, y yo inferí que estaba hablando bajo el poder del Espíritu Santo.

—Esta noche Jesús te va a despertar mientras duermes y te va a hablar directamente, tal como lo ha estado haciendo conmigo. El te dará un mensaje que será una revelación. Te verás rodeado de una gran gloria y caminarás envuelto por ella.

Sentí que el mensaje era muy interesante, pero no pensé en él esa noche. Al final del servicio me fui a casa, gozándome con la música cristiana del radio de mi automóvil.

A medianoche desperté sobresaltado por una voz que me habló súbitamente:

—Will, quiero que tomes en serio a la muerte. Puede ser que no vivas mucho tiempo. Quiero que hagas ejercicio en forma regular.

— "Jesús" —exclamé intuitivamente.

Escuché atentamente para captar cualquier otra cosa que la voz me dijera. Todo estaba en absoluto silencio. Noté que mi cama había dejado de moverse. Sentí algo extraño y me embargó un poco de temor.

Recordé la predicción de Muriel; me di cuenta que era la voz de "Jesús" la que me hablaba, exactamente como ella había predicho horas antes, esa misma noche. Incliné mi cabeza y, colocándola sobre la almohada, respiré profundamente. Me pareció bastante extraño que me llamara por mi nombre cristiano, el cual no había usado desde hacía muchos años.

"Jesús" parecía hablarme en forma audible, pero lo oí con una cierta clase de oído "interior". Pero era definidamente diferente de la voz del yo superior, aquella clara voz de la conciencia que me había hablado tan a menudo desde lo recóndito de mi mente.

Me preocupé al captar el contenido del mensaje. "Jesús" parecía advertirme que mi salud no era muy buena. Probablemente mi sistema cardiovascular no estaba en óptimas condiciones, y yo no estaba haciendo ejercicio. Concluí que lo mejor sería seguir el consejo de "Jesús" y comenzar a hacer ejercicio regularmente, quizá correr.

Salté de la cama y escribí el mensaje. Me había afectado profundamente. Estaba intrigado por el hecho de que "Jesús" me hubiera despertado personalmente en medio de la noche para darme un mensaje directo. Sin embargo, la aprensión que me causaba el contenido del mensaje parecía restarle valor y aprecio a este nuevo nivel de experiencia con "Jesús".

Recordé que Muriel nos había dicho con frecuencia en la clase que ella había sido despertada durante la noche por uno de los Maestros, y recientemente por "Jesús". Ella aseguraba que en esas ocasiones se le habían dado mensajes proféticos. Ahora sabía de qué hablaba.

Me preguntaba qué ocurriría en el futuro con esta nueva y "estrecha relación con Dios".

Mientras seguía el hilo de mi relato hasta aquí, a usted le parecería que el Espíritu Santo estaba interviniendo en forma milagrosa en el *Camino Luminoso* para darnos a conocer el verdadero Evangelio. La "conversión" de nuestro centro de la Nueva Era se vuelve ahora más sospechosa. Permítame describir lo que sucedió después.

En el siguiente estudio bíblico de grupo, Muriel comenzó a hablar.

— "Jesús" me ha estado enseñando muchas cosas interesantes —dijo, mientras abría la Biblia—. Voy a leer de 1 Corintios, capítulo quince.

Fijó su mirada en la Biblia abierta y comenzó a leer. "Así también es la resurrección de los muertos. Se siembra en corrupción, resucitará en incorrupción. Se siembra en deshonra, resucitará en gloria; se siembra en debilidad, resucitará en poder. Se siembra cuerpo animal, resucitará cuerpo espiritual... Porque es necesario que esto corruptible se vista de incorrupción, y esto mortal se vista de inmortalidad" (1 Corintios 15:42, 43, 53).

Muriel explicó.

—Mediante el poder de "Jesucristo" podemos comenzar un proceso de transición a la resurreción del cuerpo. El viejo yo, la personalidad, tiene que ser refinado para convertirse en "el Cristo" yo. Es cierto que se requerían esfuerzos y disciplina para hacerlo, pero "Jesús" nos capacita y da el conocimiento...

Siempre me había preguntado, mientras leía la Biblia, cómo podía encajar la resurrección dentro del esquema de la Nueva Era. Por eso escuché ansiosamente la revelación de Muriel:

—Por medio del "poder divino de Cristo" los átomos actuales de nuestro cuerpo físico son refinados para que se conviertan en los "átomos de la resurrección". Una vez que usted ha edificado este cuerpo inmortal, ya es capaz de vivir una vida eterna aquí en el planeta.

—Huuummmm —pensé—. Según Muriel la resurrección no va a ser un procedimiento de traslación como piensa la mayoría de los cristianos.

Ella continuó:

—Sólo mediante el poder de "Jesucristo" puede uno poner punto final al ciclo de muerte y renacimiento, ese proceso de reencarnación. Si usted va a "Jesús", confiesa sus pecados, y le pide que transforme su vida de acuerdo a su voluntad, entonces su karma será quitado. El poder de "Jesús" comenzará el proceso de construir el cuerpo de la resurrección y la inmortalidad. Este es el cuerpo espiritual del que habla el apóstol. Se construye a partir del cuerpo mortal por medio de la "energía Cristo" que viene de "Jesús".

Mientras escuchaba a Muriel, recordé que por muchos años nos había dicho que su cuerpo estaba atravesando por un "proceso de rejuvenecimiento". Había declarado abiertamente que se iba a volver gradualmente más y más joven y que eventualmente alcanzaría una edad de 28 años. Había afirmado que cuando alcanzara esta edad juvenil, viviría una vida inmortal aquí en la tierra en la gloriosa Nueva Era del amor y la luz.

De las afirmaciones de Muriel parecía deducirse que la Biblia habla del mismo proceso, sólo que el poder resucitador de "Jesús" activaba la transformación y no una vaga energía cósmica llamada "Cristo".

Muriel leyó una vez más la Biblia: "Bienaventurado y santo el que tiene parte en la primera resurrección; la segunda muerte no tiene potestad sobre éstos, sino que serán sacerdotes de Dios y de Cristo, y reinarán con él mil años" (Apocalipsis 20:6).

Levantando la vista explicó:

—El texto, que es del libro de Apocalipsis, describe el proceso de la resurrección del cual estoy hablando. Este proceso que convierte los átomos del cuerpo mortal en los átomos refinados del cuerpo inmortal se conoce como la primera resurrección. Aquellos que se transforman a través del poder de "Jesús" son parte de la primera resurrección. Ellos vivirán en este planeta durante los mil años del milenio de paz y prosperidad. Este milenio es la Nueva Era".

Muriel se inclinó y puso la Biblia en el piso.

—La Biblia habla de una segunda resurrección —dijo—. Es para aquellos que no alcanzaron la inmortalidad durante la Nueva Era. Ellos no aceptan a "Jesús", y consecuentemente no experimentan la traslación. Estos después de ser juzgados, tendrán una segunda oportunidad.

Muriel hizo una pausa y nos miró como si nos invitara a hacer preguntas. Yo no había entendido bien todo lo que había dicho, pero permanecí en silencio.

— "Jesús" me dijo que estamos en la senda que conduce a la condición de hijos por toda la eternidad —continuó—. Hemos de vivir una vida justa siguiendo el consejo de la Biblia. Es nuestro objetivo llegar a ser "hijos de Dios" y ser uno con "el Padre", del mismo modo que Jesús fue uno con el Padre.

Muriel resplandeció mientras hablaba.

— "Jesús" me informó que soy ahora un miembro del sacerdocio de Melquisedec. Es el sacerdocio real de Cristo y de eso habla el apóstol en Hebreos.

Todos en la clase permanecimos inmóviles. No sabía qué pensar acerca de sus declaraciones. ¿Quién era yo para contradecir su posición?

Al final de la clase Muriel invitó a los miembros del grupo a venir al altar para ser bendecidos.

Todo estaba claro ahora. El Espíritu Santo no había intervenido en el *Camino Luminoso*. Lo que experimentábamos no era sino una forma más sutil y aguda de engaño de parte de la mente maestra. Estábamos convirtiéndonos deliberadamente en una iglesia cristiana falsificada a fin de atraer a un nuevo tipo de clientela y cumplir así una nueva misión. Nuestro papel consistía en difundir un falso cristianismo.

Aun cuando la Biblia había desplazado todos nuestros libros metafísicos y nos llamábamos a nosotros mismos cristianos convertidos, todavía dependíamos de la meditación para recibir información doctrinal de parte de "Dios".

NOTA IMPORTANTE

A fin de evitar toda confusión, en lo que resta de este libro, usaré palabras en cursiva para indicar que me estoy refiriendo a la versión falsificada de la Deidad. Por ejemplo, *Jesús, Cristo y el Padre,* señalarán a ángeles satánicos que se hacen pasar por Jesucristo y la voz de Dios, respectivamente. Cuando las declaraciones sean hechas por otros, el uso de cursivas indicará que, en mi opinión, la falsificación está implícita, aun cuando esa persona crea sinceramente que está relacionada con el verdadero Jesús o el verdadero Espíritu Santo. Las cursivas también indicarán la falsificación de las cualidades divinas.

10

El sacerdocio

De pie en un palacio brillante y lleno de ornamento, parecía encontrarme literalmente en los atrios celestiales. Las palabras no pueden describir la belleza interior de los edificios de estilo helénico. Una atmósfera de paz y santidad parecía permear todo el atrio.

Ante mí estaba una hermosa mujer de aire angelical y su rostro era resplandeciente. Parecía una especie de sacerdotisa; una guirnalda de flores ceñía su cabeza y vestía una túnica larga. Su sonrisa encantadora revelaba un gozo inefable que deleitaba mis admirados ojos.

En su mano tenía un collar de oro del cual pendía una pequeña cruz de madera café. Al parecer era una cadena que portan los sacerdotes. Ese ser angelical colocó la cadena alrededor de mi cuello, con la cruz de madera colgada ostensiblemente junto a mi pecho.

Sus hermosos ojos azules eran tan profundos como el cielo mismo. Ella sonrió y dijo: "Bien hecho, buen siervo y fiel".

Intuitivamente me di cuenta que había sido iniciado en el sacerdocio de *Cristo*.

Desperté sobresaltado y me di cuenta que estaba en la cama. El sueño había parecido tan real que me convencí de que había estado en los atrios celestiales en cuerpo y alma, donde había sido iniciado en el sacerdocio.

Fui impresionado con la idea de comprar una cruz y una cadena auténticas como señal de mi ordenación. En una tienda cristiana de artículos religiosos seleccioné una cruz de madera y una cadena idénticas a las que había visto en el sueño.

Cuando volví a mi casa encendí las dos velas sobre mi altar y quemé incienso. Realicé un servicio privado de meditación, oración y devoción y consagré la cruz y la cadena poniéndolas solemnemente alrededor mi cuello.

Creí que había sido llamado por Dios para preparar a otros en el sacerdocio cristiano y anhelaba llegar a ser un ministro. Mi más profundo deseo era ayudar a rescatar almas de las ilusiones y los encantos de la vida materialista a fin de conducirlas a la vida eterna a través del conocimiento de la gracia dada por *Jesucristo.*

Al día siguiente asistí al servicio dominical de la mañana en la iglesia *Nuevo Camino Luminoso.* Portaba mi cruz y mi cadena recién consagradas ocultas bajo mi saco, puesto que no quería pecar de pretencioso luciendo la cruz ostentosamente. Consideraba que mi elección para el sacerdocio era sagrada, un asunto privado entre Dios y yo.

Cuando llegó mi turno en nuestra acostumbrada ceremonia de las velas encendidas, caminé rumbo al altar, encendí una vela blanca y la puse al lado de la vela *Cristo.* Muriel cerró los ojos para canalizarme un mensaje personal de parte del *Espíritu Santo.*

—Veo que usted trae una cruz suspendida de una cadena de oro —dijo—. En el plano espiritual significa que usted ha sido ordenado al sacerdocio. El *Padre* está muy complacido de que haya aceptado la oferta de llegar a ser un siervo de *Jesucristo.*

—¡Cáspita! —pensé—. Realmente ocurrió. Mi cruz y mi cadena estaban totalmente ocultas a la vista, de modo que tiene que haber sido el Espíritu quien le reveló a Muriel la escena de mi iniciación.

Muriel continuó: "Usted será grandemente bendecido y recompensado por su decisión de llegar a ser un discípulo de *Cristo.* Un glorioso futuro le espera. Usted dejará, oportunamente, su empleo actual para dedicarse al evangelismo".

Sonriendo de satisfacción, regresé a mi asiento.

Muriel había declarado anteriormente que ella era miembro del "sacerdocio de Melquisedec". Por lo tanto, di por sentado que yo también había sido iniciado en el mismo sacerdocio, aunque consideraba mi estatus como un período de prueba hasta que recibiera entrenamiento adicional.

En memoria de la muerte de mi Salvador y Maestro, decidí portar la cruz de madera todo el tiempo. Quería que fuera un recordativo constante de mi dedicación a la sagrada vida del sacerdocio.

Muriel comenzó el sermón y habló de la necesidad de vivir una vida pura siguiendo el ejemplo de Jesucristo, tal como lo describe la Biblia. Puso énfasis en la necesidad de obedecer la voluntad del *Padre* según se manifestara a través de la voz del *Espíritu Santo*; pero nos advirtió acerca de las entidades satánicas que existían en el mundo espiritual que podrían intentar desviarnos.

—Uno tiene que ser muy apto para discernir —aconsejó—. Si usted no está seguro si un espíritu es de *Cristo* o satánico, pregúntele al espíritu: "¿Eres de Jesucristo?", y si el espíritu no es de *Cristo*, huirá de ustedes. El nombre de Jesús es el nombre más poderoso de todo el universo. Por ejemplo, si ustedes sienten que están siendo oprimidos por una fuerza maligna, pueden usar la invocación, "en el nombre de Jesucristo, te ordeno que salgas", y el espíritu huirá.

Todavía tiemblo al recordar cuán completo, cuán "perfecto" es el engaño de la Nueva Era. Es imposible recalcar demasiado la necesidad imperiosa que el cristiano tiene de mantenerse bajo la dirección divina, como la Biblia lo demuestra en este asunto de probar si un espíritu es de Dios, o si se trata de una imitación engañosa, como las de la Nueva Era.

Después de una pausa Muriel cambió de tema.

—Pronto habrá un rapto. Está implícito en el libro de Apocalipsis. Nosotros seremos parte de los 144,000, las primicias de los redimidos. No he recibido total revelación de esto de parte de *Jesús*. Pero vendrá el tiempo cuando todos los santos serán elevados en las nubes y podrán levitar. Visitaremos, probablemente, otros planetas.

Mi mente comenzó a ofuscarse nuevamente. Yo pensé que había comprendido el asunto de la resurrección, pero ahora esta idea del rapto me enredó una vez más. Llegué a la conclusión de que tendría que meditar mucho y fervientemente sobre el asunto y tener fe en que el *Espíritu Santo* me revelaría el significado del libro de Apocalipsis.

Transcurrieron dos meses, y la convención anual "La Voz de la Victoria", de Kenneth Copeland, de los creyentes de la Costa Occidental, comenzó en el Centro de Convenciones de Anaheim. Me sentí inspirado a asistir cada noche durante la semana que duró el evento. El tema de Copeland para esa ocasión era la relación pactual existente entre el *Padre* y su pueblo.

¡Cuán distinta fue mi actitud en esta convención de la que tuve en la anterior! En la primera me había identificado como miembro del movimiento metafísico de la Nueva Era, discípulo del venerable Djwhal Khul. Considerando el conocimiento esotérico de mi Maestro, muy superior al conocimiento bíblico de los cristianos, había ido a la convención como simple espectador. Sólo asistí porque Muriel había elogiado tanto a Copeland y porque la voz interior de mi meditación me había dicho que fuera.

Desde esa primera convención las cosas habían cambiado mucho. Hoy me identificaba como una nueva criatura en Cristo, aun cuando me consideraba miembro del movimiento de la Nueva Era. Sin embargo, mi experiencia anterior no se interponía diferencialmente con mis hermanos cristianos en esta visita mientras levantaba mis manos glorificando y alabando a Dios. Tomé parte con entusiasmo en todos los himnos. Cuando nos tomamos de la mano, oré al Señor Jesús junto con las 10,000 personas de la congregación, y de todo corazón puse una generosa ofrenda cuando pasaron el platillo.

Cuando el hermano Copeland predicó, escuché con avidez su mensaje, buscando cuidadosamente los textos bíblicos que citaba. Considerándome como uno de los creyentes, me sentía absolutamente extasiado al final de cada reunión. Estaba inspirado y lleno de gozo, como si caminara en las nubes. Rara vez en mi vida me había sentido tan bien y feliz.

Incluso experimentaba este gozo durante las horas de trabajo. Los himnos de alabanza seguían sonando en mi corazón. Por ejemplo, una mañana durante la semana de la convención, estaba frente a mi escritorio cuando el agente de ventas de la compañía me llamó por teléfono. Era una persona conservadora y de edad madura a quien había conocido por varios años.

—Will, ¿cómo te va? —me preguntó.

Le contesté muy entusiasmado, y con la voz más feliz que pueda imaginarse:

—¡Me está yendo de un modo absolutamente fantástico!

Nuestro vendedor guardó silencio por unos momentos. Luego añadió en tono serio:

—¿Hay algún problema?

Le aseguré que nada andaba mal; al contrario, todo parecía andar de maravilla.

Al final de cada reunión volvía a mi departamento y de rodillas le daba gracias al *Padre* por haberme conducido al conocimiento del poder de *Jesucristo*. La voz interior de la meditación me animó a asistir a la convención la noche siguiente.

El hermano Copeland hacía un llamamiento de altar cada noche para los no creyentes pidiéndoles que aceptaran a *Jesucristo* como su Salvador personal. Yo estaba seguro de que ya había nacido de nuevo y que no era necesario pasar al frente con los nuevos conversos.

Lo que deseaba era que Kenneth hiciera una invitación de altar para las personas que sentían el llamamiento de Dios para incursionar en el ministerio evangélico, y estuvieran dispuestos a reconocerlo públicamente. En virtud de mi ordenación al sacerdocio *cristiano*, anhelaba responder a una invitación tal. Debajo de mi saco llevaba orgullosamente mi sagrada cruz de madera.

Para mi alegría, el jueves por la noche Kenneth anunció la invitación de altar que tanto anhelaba. Pidió específicamente a aquellas personas que habían hecho una seria y consagrada dedicación de sus vidas al ministerio que pasaran al frente.

No vacilé un solo instante. Me lancé escaleras abajo y me uní al grupo que rodeaba la plataforma que estaba al frente del gran escenario. Oh, cómo anhelaba ser un evangelista como Kenneth Copeland, si tan sólo el *Señor* me ungiera con su poder.

Copeland estaba acompañado en el púlpito por otros miembros de su personal ministerial. Ellos oraron pidiendo a Dios que nos bendijera y nos diera los dones del Espíritu Santo para llevar a cabo nuestra comisión evangélica. De momento no pude imaginar cuán pronto comenzaría mi ministerio.

Casi inmediatamente después de la convención recibí una llamada telefónica de Muriel.

—*El Padre* me ha dicho que debemos mudarnos a Texas —me anunció—. Voy a clausurar todo aquí en Los Angeles y comenzar el *Nuevo Camino Luminoso* en Fort Worth.

Su declaración me dejó como electrizado. El *Camino Luminoso* había operado en Los Angeles por más de veinte años.

—Tal parece que Texas necesita conocer todo lo concerniente al *Cristianismo* místico —explicó.

Habiendo observado la obediencia y dedicación de Muriel a través de los años, sabía que ella cortaría todas sus raíces y seguiría las indicaciones, aun cuando ya andaba en los sesenta años, y había residido en el sur de California la mayor parte de su vida. Le deseé lo mejor y le expresé mi confianza en que el *Señor* se encargaría de todas sus necesidades.

El llamamiento al evangelismo

—Ve al centro comercial y predica.

Oí con suma claridad la voz dentro de mi mente mientras estaba de rodillas frente al altar en mi departamento. Era un domingo de mañana, y acababa de iniciar mi meditación. Me dije a mí mismo:

—¿Qué? ¿Ir a predicar al centro comercial?

Puse más atención y esperé, pero no escuché nada más. Encogiéndome de hombros continué con mi silenciosa introspección.

Durante varias semanas había estado dedicando todos mis fines de semana al estudio de la *Enciclopedia de las Religiones Norteamericanas,* de J. Gordon Melton. A fin de continuar con esta lectura, dediqué el resto del día a visitar la biblioteca local de la ciudad. Las historias de varias denominaciones cristianas me intrigaban mucho. Los registros de la obra de los grandes dirigentes, como los hermanos Wesley, Finney, los Campbell, Moody y otros, cautivaron mi interés. Pasó una semana. Comencé mi meditación del domingo de mañana como de costumbre.

—Ve al centro comercial y predica —dijo la voz interior de la conciencia.

—¿Qué quiere decir con 've y predica'? —pregunté en mi pensamiento, mientras me dirigía telepáticamente al originador del misterioso mandato.

No hubo respuesta.

Algo en particular de la voz que oía tocó la cuerda del temor dentro de mí. Era la misma voz interior de la conciencia que había oído tantísimas veces, pero ahora era especialmente gentil y precisa, con un extraño poder que me sorprendió.

Me imaginaba predicando valientemente a una multitud de compradores congregados en la entrada del centro comercial de la localidad. Ellos escuchaban con atención crítica mi proclamación del inminente retorno de *Cristo*.

Riéndome de aquella fantasía, pensé: ¿Quién sabe?, tal vez el *Señor* quiere que llegue a ser otro Juan Wesley; que lejos de predicar a los mineros, lo haga a los clientes de los centros comerciales.

Deseché el mensaje como si fuera algo malévolo procedente del reino de los espíritus. Después de todo, ¿cuándo se había oído que alguien predicara en los centros comerciales? La idea era absurda.

Continuando con la meditación durante más o menos una hora, no recibí ninguna otra comunicación y terminé con una oración pidiendo que se me convirtiera en un canal puro y digno de *Jesús*.

Más tarde, ese mismo día, fui al centro comercial para comprar algo. Mientras caminaba por la amplia entrada, una fantasía repentina fulguró en mi mente. Me detuve y me imaginé a mí mismo predicando a los transeúntes allí mismo donde estaba parado. Una desagradable sensación se apoderó de mi estómago, y mis emociones despertaron a medida que el temor me oprimía con sus fuertes tenazas.

—¿Será posible que el *Señor* quiera que comience a predicar aquí? —me dije a mí mismo—. Oh, espero que no —me tranquilicé, mientras suspiraba y respiraba profundamente.

—Discúlpeme —dijo una señora que pasó rozándome, mientras empujaba un carrito de bebé, sacándome de mi abstracción. Rápidamente entré en la tienda.

Al día siguiente, hice mi meditación como de costumbre.

—Quiero que vayas al centro comercial y prediques —dijo firmemente la voz de la conciencia.

—¿Qué es esto?, ¿qué quiere decir? —me pregunté mentalmente, aun cuando había oído claramente las indicaciones.

Una extraña sensación de calor me recorrió la parte central de la espalda. La sensación parecía localizarse en la región de la chakra del corazón.

—¿Es ésta una broma o una indicación real procedente de Dios? —me pregunté—. Si viene de Dios —pensé—, ¿qué significa exactamente *predicar*? ¿Se supone que debo ir al centro comercial y pararme en la entrada, levantar una Biblia en mi mano y hablarle en voz alta a la gente?

"No, no, esto no es más que un pensamiento completamente absurdo —me dije a mí mismo—. Mi mente está siendo desviada; debo ser más disciplinado y cuidadoso con mi pensamiento". Traté de comunicarme con los niveles más profundos de mi yo superior, procurando esclarecer el asunto.

—Sí, deseo que comiences a predicar a la gente en el centro comercial 'El Alamo'. Es tiempo de que inicies tu ministerio —dijo la voz interior.

Empecé a transpirar copiosamente. Un sudor frío me corría por la espalda. Cerrando la entrada de mi mente a las fuerzas cósmicas, terminé abruptamente la meditación. No deseaba seguir escuchando algo tan descabellado.

Durante la siguiente semana, me vino a la mente varias veces la fantasía de la predicación a la gente en el centro comercial. Un fastidio insoportable me invadía cada vez que pensaba en ello.

A regañadientes comencé a aceptar la idea de que quizá el *Espíritu Santo* me estaba hablando y quería en verdad que fuera al centro comercial y predicara el Evangelio. Una enfermiza obsesión, que ya no me abandonaría, surgió en mi mente. La orden se convirtió en una obsesiva "forma de pensamiento", una idea poderosa y persistente que exigía ser obedecida.

A través de mis meditaciones se me había aclarado la forma exacta en que se suponía debía predicarle a la gente. La orden no era predicar a voz en cuello en la entrada del centro comercial. Lo que debía hacer era acercarme a las personas y darles mi testimonio acerca de *Jesús*. Debía decirles que él pronto aparecerá en este planeta.

La voz interior me informó que la testificación era una forma de predicación; era una obra personal. La voz enfatizó el hecho de que esta predicación personalizada era muy valiosa en la proclamación del Evangelio, tanto como una experiencia necesaria para la futura obra de evangelización en un nivel más elevado.

La idea de testificar a gente extraña en el centro comercial me dejó petrificado. Resistí todas las órdenes que recibí indicándome que debía hacerlo. Cada noche y cada fin de semana inventaba una nueva excusa de por qué no era capaz de ir al centro comercial para testificar entre las almas perdidas.

Algunas veces la excusa era: "Todavía no estoy listo para hacerlo"; otras era: "Ahora no estoy de humor". En ocasiones deliberadamente me retrasaba en mis deberes seculares a fin de no tener tiempo por la tarde para ir al centro comercial.

No obstante la aversión que sentía por la idea de testificar, creía que si *Jesús* me estaba pidiendo que lo hiciera, entonces de alguna manera obtendría valor para hacer la obra, aun si tuviera mucho miedo.

Pocos días después la voz interior de la meditación me habló una vez más diciéndome que fuera a testificar al centro comercial. Otra vez, el temor me invadió. Yo había esperado que *el Señor* se olvidara de todo lo concerniente a la testificación.

Salí con varias excusas diciendo por qué no podía testificar esa tarde: estaba demasiado cansado; sentía que no me gustaba; no tendría éxito; de todas maneras iría mañana, mejor.

Mañana llegó. Me sentí terriblemente mal durante el día. La perspectiva de testificar después del trabajo me deprimía tremendamente y me sentía abrumado por la preocupación. Parecía como si la orden de ir y testificar se hubiera apoderado completamente de mi vida. Pensaba en ello constantemente y era incapaz de sustraerme a aquella obsesión.

—Tienes que hacer mi obra —me exhortaba la voz de *Jesús* todo el día.

Con mucha frecuencia miraba mi reloj temiendo que ya fuera la hora de la salida.

Finalmente llegó el momento tan temido.

—No voy a hacerlo —me dije a mí mismo. Me consolaba saber que mañana me sentiría muy diferente a como me sentía hoy; la preocupación y la ansiedad de hecho me agobiaron, y decidí prescindir de toda actividad esa noche.

Decidí descansar e irme a la cama un poco más temprano de lo acostumbrado. Me hundí en las cobijas y le di la bienvenida al sueño.

Desperté como a la una y media de la madrugada sobrecogido por un terrible malestar. Mi desobediencia a la orden de testificar en el centro comercial parecía aplastarme.

Sentía como si la voz interior de la conciencia se burlara de mí.

—Debes hacer mi obra —afirmaba—. No hay escapatoria. Has aspirado a *tomar tu cruz y seguirme*. ¿Por qué no lo haces?

Dándome vueltas en la cama traté de dormirme nuevamente. Pero el sueño nunca más acudió a rescatarme de mi triste situación.

Imaginariamente contemplé a las personas pescando en las tinieblas del malecón de Redondo Beach. Sabía que, incluso a esta hora de la noche, un puñado de pescadores estaría en el malecón.

—Levántate y testifica ante esos pescadores ahora mismo —ordenó la voz interior de la conciencia.

—¡Levántate! —gritó.

Procurando esconderme, jalé los extremos de la cobija.

Mientras permanecía acostado me sentí tan deprimido que deseé morir. La opresión era tan grande, que sentí náuseas de verdad; luego mi estómago se convulsionó involuntariamente, y tuve que sentarme para controlar el vómito. Pensando que quizá *Cristo* me hubiera abandonado totalmente, creía que estaba sufriendo la total vacuidad de una vida sin Dios.

Al recordar mi frustrada experiencia de resistir la orden de usar mi tarjeta de crédito para donar mil dólares para el sostén de la obra del *Camino Luminoso*, pensé cuán fútiles habían sido mis esfuerzos por resistir. Vislumbré sólo dos caminos delante de mí: O suicidarme, o hacer exactamente lo que *Jesús* me mandaba. No pudiendo resistir más la terrible opresión, decidí hacer algo.

Finalmente razoné que hacer la desagradable obra era mejor que seguir en aquel calamitoso estado; de modo que me sometí y decidí ir a testificar a los pescadores.

Tan pronto como comencé a salir de la cama me sentí mucho mejor. Me di cuenta que algo parecido a esto estaba ocurriendo: si obedecía a *Dios*, me sentía mejor; si le desobedecía, me sentía deprimido como si él me hubiera retirado su gracia.

En la quietud de la noche, mientras me vestía, me vino a la mente un texto bíblico en forma muy clara. Jesús le está diciendo a Pedro:

"...Apacienta mis ovejas... Cuando eras más joven, te ceñías, e ibas a donde querías; mas cuando ya seas viejo, extenderás tus manos, y te ceñirá otro, y te llevará a donde no quieras" (Juan 21:17, 18).

Siendo que había leído el texto días antes, lo apliqué ahora a mi situación. Pensé: "Cuando era más joven hacía lo que quería, vivía una vida rebelde y mundanal. Ahora que soy mayor, *Dios* me está guiando a lugares donde no quiero ir".

Concluí que no había punto de retorno en mi ministerio. Mi elección era obedecer a *Dios* o hacer frente a la mortal depresión de su separación.

La mente maestra de los demonios se había posesionado de mi vida. Me había convertido en un esclavo de su voluntad. El hecho de que llevara una Biblia y predicara acerca de *Jesucristo*, no significaba que fuera un testigo verdadero de Cristo, aun cuando pareciera uno de ellos.

11

Predicando en las aceras

Terremoto! —fue lo primero que pensé. El temor y la ansiedad se apoderaron de mí.

Había sido despertado súbitamente en la noche. Mi cama temblaba y se sacudía.

Levanté la cabeza de sobre la almohada, observé el cuadro que apenas colgaba sobre la pared opuesta a mí. Lo extraño era que no se movía, como era de esperarse en un terremoto.

Escuché atentamente esperando oír el crujido de las maderas de la casa, pero no percibí nada.

De repente un recuerdo irrumpió como relámpago en mi mente: Lo mismo había ocurrido la última vez que *Jesús* se me apareció a medianoche para darme un mensaje especial.

Mientras la cama todavía vibraba, una voz habló repentinamente a mis oídos.

—Pronto vendré. Tú tienes que hacer mi obra. El tiempo se acaba.

—Es Jesús —pensé. La voz era inconfundible. Tenía una extraña calma saturada de un tono de autoridad.

Decidí escuchar con más atención.

Sólo hubo silencio. También noté que la cama ya no se movía.

En mi mente persistía la idea intensa, intuitiva, de que Jesús aparecería en forma permanente en el mundo dentro de unos quince años. Era como si *Jesús* hubiera grabado ese conocimiento en mi cerebro, sin yo escucharlo conscientemente.

El mensaje de *Jesús* lanzó una onda de ansiedad que penetró hasta lo más profundo de mi corazón. Sabía que había andado arrastrando los pies, como se dice, cuando se me pidió que testificara de persona a persona en los centros comerciales. Me sentí terriblemente culpable por mi timidez.

Mientras permanecía en mi cama, en tranquila introspección, me di cuenta de que el mensaje de *Jesús* tenía el propósito de recalcar mi necesidad de apresurarme en mis esfuerzos evangelísticos. El tiempo se acababa. Debía hacer mayores esfuerzos por ayudar a proclamar las buenas nuevas de su pronto retorno, de modo que el mundo pudiera prepararse para recibirle cuando apareciera pública y físicamente, es decir, en ocasión de su glorioso segundo advenimiento.

Pese a mi temor y resistencia para testificar, decidí hacer mayores esfuerzos en mi compromiso de llevar a cabo la voluntad de *mi Maestro*, sin importar lo que me pidiera que hiciera.

Pensé mucho en la perspectiva de la venida de Cristo para fines del siglo. ¡Qué tremendo evento sería aquél! Yo estaba seguro de recibir mi recompensa cuando viniera.

Pasaron dos semanas. Una mañana de domingo, muy temprano, comencé mi meditación como de costumbre. Después de prender las velas en el altar que tenía en mi departamento, dije mis oraciones de intercesión, concluyéndolas con "todo esto lo pido en el nombre de Jesús".

Después de más o menos media hora de profunda meditación, comencé a recibir clarísimas indicaciones de mi voz interior de la conciencia.

—Ve a la Playa Venice y predica allí el Evangelio —me ordenó.

El temor me sobrecogió. Si bien comencé a sentir caliente todo mi cuerpo, noté especialmente un calor intenso en el área de la chakra de mi corazón. Me quité el suéter, aunque el cuarto estaba bastante frío. Sentía que una energía invadía el cuarto poderosamente.

Instintivamente supe que la orden era real, puesto que la energía era demasiado intensa. Me imaginé a mí mismo predicando el Evangelio a un pequeño grupo de curiosos sobre la arena de la playa.

Pensé en mi fuero íntimo: "Si Dios quiere que comience a predicar en público, tendré que hacerlo. Al parecer, se me ha dado la comisión. No quiero ir, pero ha llegado la hora de que comience a predicar en público".

Razoné que todo discípulo recibe tarde o temprano el llamado a negarse a sí mismo y tomar su cruz. Ahora había llegado mi turno de morir al yo.

La voz interior habló otra vez con serenidad:

—La mies a la verdad está madura, pero los obreros son pocos.

Luego vino otro versículo bíblico a mi mente a medida que contemplaba el proyecto: "Y cualquiera que no toma su cruz y viene en pos de mí, no es digno de mí... El que perdiere su vida por causa de mí la hallará".

Imaginariamente volví a verme de pie al borde del malecón en la playa. Tenía una gran Biblia en la mano y predicaba valientemente a la gente que pasaba. Mientras más pensaba en la escena, más tenso me ponía. ¿Y si nadie quisiera escucharme? ¿Y si alguien comenzara a mostrarse violento conmmigo? ¿Y si alguien llamara a la policía?

Razoné que si habría de ser evangelista, tendría que comenzar en alguna parte. ¿Quién podría saber si con el tiempo no llegaría a tener un ministerio tan grande como el de Kenneth Copeland?

En cierta forma, la idea de predicar el Evangelio en el atestado malecón de la playa parecía una proposición más razonable que testificar en los centros comerciales de lujo.

Decidí obedecer sin vacilación el mandato que la voz interior me había dado en la meditación. Sabía que sería inútil resistir de todos modos. Pensé, si *Dios* quiere que predique, entonces eso es lo que debo hacer. Todos los predicadores tienen que comenzar en algún lugar; quizá sea mejor lanzarme al agua de una buena vez. Luego razoné que tal vez *Dios* quería que pasara por alto la preparación teológica en un seminario, y todas esas cosas, pues lo único que se me pidió era salir y predicar la *Palabra*.

—Hazlo. Ve —siguió urgiéndome la voz interior mientras meditaba—. El poder de *Dios* estará contigo. Ve.

Sin pensarlo más hice una oración especial para que *Dios* bendijera mis esfuerzos evangelísticos. Después me dirigí al guardarropas y saqué mi mejor traje, color café. Todos los grandes predicadores de la televisión se presentan inmaculadamente vestidos de traje, cuello y corbata. Pensé que debía vestir igual. Me apreté la corbata frente al espejo, tomé mi Biblia y me dirigí a la playa en mi Pontiac Sunbird blanco, último modelo.

Durante los quince minutos de viaje hacia la playa comencé a sentirme muy mal en la boca del estómago por causa del temor. A pesar de mi resolución de hacer la voluntad de mi *Señor*, en cada retorno de la carretera sentía el deseo de suspender el viaje y regresarme, para escapar de alguna manera. Cuán agradable sería visitar un museo o hacer un paseo a las montañas, o simplemente viajar en mi automóvil por el desierto.

Mi divagante imaginación fue llamada al orden por la severa voz de mi conciencia:

—Sigue adelante sin desviarte —dijo en son de regaño—. ¡Ve a la playa y predica! Tienes que hacer esta obra. El tiempo se acaba. Ve y predica.

Imaginaba cómo me ridiculizarían algunos burladores incrédulos. Imaginé a alguien enfrentándoseme y amenazándome con llamar a la policía si no dejaba de perturbar la paz. Comencé a albergar la esperanza de que el viaje a la playa de Venice nunca terminara, y que, si corría con suerte, me ocurriera un accidente.

Sin embargo, al margen de cuán enfermo y atemorizado me sintiera interiormente, estaba decidido a responder al llamado de la gran comisión. Tenía fe en que sería protegido por la divinidad. Quizá hasta *Jesús* mismo estaría a mi lado en forma invisible y me asistiría en mi *actuación* como predicador.

Al sentirme muy acalorado e incómodo, puse el aire acondicionado del automóvil en el nivel más alto. Sentía una opresión en el pecho, como si una banda de acero me sujetara fuertemente.

—Sigue adelante. No puedes volver ahora —me increpó la voz.

Finalmente me uní a la fila de automóviles que trataban de entrar al estacionamiento. Casi en estado de choque, observé el lugar. Hacía unos cinco años que había visitado aquella zona por pura curiosidad, y había olvidado lo descuidada y deteriorada que estaba aquella playa.

Decidí explorar primero la sección principal del malecón, que tendría un kilómetro y medio de largo, en busca de un lugar apropiado donde pararme para predicar con efectividad a los transeúntes.

Recorrí toda la angosta calle peatonal llena de gente y de movimiento. Una variedad de edificios, la mayoría de ellos muy antiguos, departamentos y clubes, se alineaban junto al malecón. El lado que daba al océano comprendía una amplia franja cubierta de hierba, punteada por algunas palmeras donde se estacionaban los automóviles. Vendedores ambulantes se arremolinaban a los lados de las aceras, vendiendo toda clase de minucias. De tanto en tanto los artistas callejeros desplegaban su arte. Vi a un tragafuegos, varios músicos ejecutando sus instrumentos, bandas musicales, incluso un malabarista con una sierra de cadena.

Mientras más caminaba, más deprimido me sentía. Pasé casi rozando a muchos vagabundos que parecían enfermos mentales necesitados de tratamiento siquiátrico. Otros mostraban horribles llagas y enfermedades de la piel. Vi sucios rockeros con largos broches a guisa de aretes en las orejas y con tatuajes en los brazos. Vagabundos sin hogar cargando sus bolsas de dormir y rengueando, circulaban como si anduvieran buscando fortuna.

Si bien mi atención parecía fijarse en aquella gentuza, realmente eran la minoría. La mayoría de la gente había ido a pasar su fin de semana remolonamente bajo el sol. Algunos de los paseantes parecían prósperos hombres de negocios que habían llevado a sus esposas a correr una interesante aventura dominical.

Yo había perdido todo entusiasmo, pero me obligué a seguir buscando un lugar apropiado donde predicar. El ruido, el hedor del alcohol, el aroma de la mariguana, comenzaron a marearme. Vi a un tipo que parecía ser algo así como un cirquero temerario. Había extendido una gran estera de plástico y la había cubierto de vidrios rotos. Su repertorio de suertes incluía caminar descalzo sobre pedazos de botella con filosos bordes dentados.

—Ya he tenido demasiado —me dije furiosamente cuando vi lo que estaba haciendo—. Este sitio no es para mí.

En mi pensamiento me dije: "No me importa lo que *Dios* quiera que haga, no voy a predicar aquí".

Dando la vuelta me dirigí hacia mi automóvil muy disgustado, estremecido de sólo pensar que *Jesús* me hubiera enviado a esta terrible guarida de demonios. Casi desquiciado, murmuré para mis adentros: "La idea de predicar en esta playa tiene que haber sido una broma cruel. Jamás regresaré a este lugar".

Salté a mi automóvil, cerré la portezuela de un golpe y salí quemando llantas.

El siguiente domingo de mañana, durante mi meditación, recibí la impresión de asistir a cierta iglesia cristiana en la cual nunca antes había estado, a pesar de haber pasado junto a ella todas las mañanas al dirigirme al trabajo. Muchas veces había pensado asistir a ella, sólo para ver qué clase de iglesia era, pero nunca lo había hecho.

La Iglesia Comunitaria de Cristo era bastante pequeña, y parecía tener una atmósfera conservadora. Llegué lo suficientemente temprano como para asistir a la clase bíblica que se impartió en la oficina del pastor. Leímos una de las epístolas más breves del apóstol Pablo y después siguió una sesión de oración para pedir la bendición del Señor sobre la hora del culto divino.

Entré al santuario cuando la organista comenzaba a tocar el preludio, y me senté quietamente en una banca. Al abrir el boletín eché un vistazo al orden del programa. La oración final impactó tremendamente mis ojos; no podía creer lo que estaba viendo. Allí, delante de mí, estaba impresa La Gran Invocación, la oración más importante de la Nueva Era. Esta oración aparece por lo regular en los libros de Alice Bailey, los libros metafísicos publicados por la Compañía de Publicaciones de Satanás, que más tarde se cambió el nombre por el de Lucis Press. Por supuesto, los de la Nueva Era creen que Lucifer fue un rey de Israel y no un arcángel caído.

Siempre me había parecido maravilloso que esta oración de la

Nueva Era la usaran en algunas iglesias cristianas, pero me sorprendió ver que también la usaban en esta iglesia que parecía conservadora.

El orden del culto y el sermón resultaron ser lo que yo había esperado encontrar en una iglesia cristiana regular. No vi absolutamente ningún indicio de que esta iglesia estuviera conectada con la Nueva Era, excepto el uso que hacían de la oración de la Nueva Era, que era equivalente al Padrenuestro, como bendición final. Dudaba mucho que alguno de la congregación supiera la procedencia de aquella oración. Pensé que el *Señor* me debe haber inspirado a venir a esta iglesia para hacerme saber que su energía de la Nueva Era ya está comenzando a manifestarse, incluso en las iglesias tradicionales.

Por un momento creí que *Jesús* me mostraba que si llevaba a cabo fielmente mi obra personal de evangelización, también podría tener mi propia iglesia cristiana, similar a ésta. Incluso me pregunté si el *Señor* no estaría planeando afiliarme a esta iglesia para poder introducir otras ideas de la Nueva Era en sus enseñanzas.

Me uní a la amistosa congregación en la comida fraternal después del culto, pero no mencioné nada acerca de mis creencias doctrinales ni de mis relaciones con la Nueva Era.

En mis meditaciones *el Señor* me impresionaba con la idea de volver a la playa Venice y comenzar mi ministerio allí. Sin embargo, se me informó que éste ahora era muy diferente de lo que yo había visualizado al principio. Se me dio una nueva perspectiva de la forma en que debía realizar mi "predicación".

En la meditación me vi de pie junto al malecón. A mi lado se exhibía un gran anuncio desplegado sobre una especie de caballete de pintor, parecido a los que usan los artistas para sostener sus telas para pintar. El mensaje escrito en el anuncio estaba diseñado de tal manera que atrajera la atención. La gente, movida por el anuncio y su mensaje, vendría a preguntarme acerca de mis creencias religiosas. De esta manera podría testificar efectivamente. Se me dieron claras instrucciones con respecto al diseño del anuncio, incluyendo las palabras precisas.

Inmediatamente compré el caballete y los materiales que requería, y entonces con mucho cuidado preparé el anuncio. Cuando lo terminé pensé: "*Jesús* es muy listo al impresionarme en la forma como lo hizo: la idea del anuncio es brillante". Estaba encantado con ella.

La voz interior me dijo que al principio no sería necesario predicar en voz alta a los que pasaran por el malecón. *Jesús* quería que atrajera la atención de la gente con el anuncio especial y entonces les diera mi testimonio en forma individual cuando me hicieran preguntas. De esta forma podría esparcir el Evangelio y al mismo tiempo obtener experiencia y práctica en el arte de la persuasión, prerrequisito indispensable para cualquier futura actividad evangelizadora.

Aun cuando la nueva comisión se adaptaba mejor a mi personalidad, todavía me sentía temeroso de ir otra vez a la Playa de Venice. Me preguntaba qué me pediría *Jesús* después, esperando que el fin de semana nunca llegara.

La mañana del sábado llegó. Durante mi meditación recibí la confirmación de que debía ir a la playa de acuerdo a los planes.

—No tienes ninguna opción —decía insistentemente la voz interior—. Tienes que hacer esta obra; es el designio de tu vida. *El Padre* te bendecirá. ¡Crece en fortaleza y predica!

En esta ocasión dejé mi saco y mi corbata en el ropero. Se me había dado la impresión de que debía vestir para estar más a tono con el ambiente playero.

Metí el anuncio y el caballete en la cajuela de mi automóvil y me dirigí a la playa. Nuevamente me envolvió una oleada de temor y la opresión en el pecho, pero traté de ignorarlas. Sabía que si quería contar con la gracia de Dios tenía que hacer su obra.

Recordé el relato bíblico de Jonás y de su evasiva frente a la tarea que Dios le había asignado de ir y predicar en la ciudad de Nínive. Me sentía como si también estuviera huyendo como Jonás.

—Señor, ¿por qué yo? —me pregunté mentalmente—. ¿Por qué no algún otro? ¿Por qué tengo que ser yo?

No hubo ninguna respuesta, excepto las palabras:

—Tienes que hacer mi obra.

Finalmente llegué al estacionamiento del malecón. Mi plan era buscar rápidamente un lugar apropiado, y entonces, sin más vacilación, fijar el anuncio y llevar a cabo mi obra. Me había prometido que, pasara lo que pasase, me quedaría cuando menos una hora.

Aun cuando todavía no era mediodía, el malecón ya estaba repleto. Caminé enérgicamente a lo largo de la playa, tratando de ignorar a todos los borrachines y drogadictos y esforzándome por encontrar un lugar apropiado donde instalar el anuncio.

Más o menos a unos cuatrocientos metros a lo largo del malecón, una voz que venía de dentro de mí exclamó de pronto:

—¡Aquí! Aquí es, exactamente aquí. ¡Este es el lugar!

Me encontraba frente a una pequeña sinagoga judía que quedaba al borde del malecón. La fachada estaba pintada de blanco y tenía dos grandes puertas de madera de color café en el frente, una con la infaltable estrella de David pintada encima. La pared exterior estaba cubierta con caracteres hebreos y un letrero en inglés con el nombre de la sinagoga.

Noté que los vendedores ambulantes y los artistas callejeros aparentemente habían evitado esta pequeña zona del malecón, como si manifestaran respeto por el lugar sagrado de adoración. Al cruzar la calle, había un lugar muy conveniente donde instalar el caballete y el cartel, precisamente por donde pasaba la gente. Con la sinagoga al frente, éste era el lugar perfecto. La gente sólo tendría dos cosas que llamarían su atención al pasar: Mi cartel y la sinagoga.

Pensé para mis adentros: "Si Jesús predicó fuera del templo de Jerusalén, no veo por qué yo no pueda hacerlo fuera de la sinagoga de Venice".

Regresé de prisa a mi automóvil, bajé el anuncio y el caballete, musité una oración pidiendo la bendición de Dios y empecé a caminar con dificultad, llevando el voluminoso equipo bajo mis brazos. Me sentía terriblemente consciente de mi situación. Casi deseé ocultar el cartel hasta llegar a mi destino.

Experimenté alivio cuando encontré el lugar todavía vacante. Medio tembloroso instalé el caballete, acomodé el cartel sobre él, y me mantuve atento muy cerca de mi gran anuncio.

El cartel causó cierto revuelo entre la multitud. Inmediatamente una joven pareja se detuvo al pasar frente a mí.

—¿Dónde está él, entonces? —dijo el hombre ansiosamente.

El anuncio, poco común, había captado su atención. En el centro del gran cartel estaba una copia a todo color de la famosa pintura de Jesús de Warner Sallman. Sobre la pintura del rostro de Cristo estaba escrito en letras grandes y brillantes:

SI USTED ESPERA LA VENIDA DE ESTE HOMBRE
PIERDE SU TIEMPO

Y debajo de la pintura de Cristo estaba escrito:

¡PORQUE YO LE PUEDO DECIR DONDE ESTA!

Un poco nervioso le contesté a la pareja:

—El nunca ha dejado este planeta. Se encuentra aquí todavía. Pero ya no habita en un cuerpo de carne y sangre. Se deshizo de su cuerpo carnal después de la ascensión. Ahora vive en su cuerpo espiritual y mora en el reino espiritual.

—¿Cómo lo sabe usted? —preguntó el hombre con cierta duda.

—Lo sé porque lo he visto —repliqué valientemente—. El se me ha aparecido, me ha sanado, y soy un practicante de sus enseñanzas.

La pareja parecía interesada.

—Mire, Jesús nunca ha dejado el planeta —le expliqué—, todavía está aquí. Después de su ascensión, no fue a ningún lugar del espacio estelar.

Señalando hacia el cielo, agregué.

—Los cielos no son un lugar de por allá arriba. Los cielos están aquí en la tierra —moví mi brazo para trazar un gran arco, indicando el ambiente que nos rodea—. Los cielos son sencillamente una dimensión diferente de nuestra existencia normal. El cielo no es un lugar del cosmos, pertenece definidamente a nuestro planeta.

Le pregunté a la pareja:

—¿Han soñado alguna vez tan vívidamente, que, al depertar, se convencieron de que estuvieron en un lugar real, pero que no sabían exactamente dónde?

La mujer asintió con la cabeza como dando a entender que estaba de acuerdo. Su novio me miró con ojos de desconcierto, no alcanzando a comprender de qué se trataba.

—En ese tipo de experiencias oníricas usted no ha soñado meramente. Usted realmente ha visitado lugares auténticos en cuerpo y alma. Ha viajado al nivel más bajo del reino espiritual.

Luego les expliqué algo más:

—Por supuesto, *Jesús* no vive en esos niveles inferiores, sino en niveles más elevados del reino espiritual. Pero esos mundos espirituales están justamente aquí, en nuestro planeta, sólo que están en una dimensión distinta. —Señalando hacia el suelo comenté—; *Jesús* está exactamente aquí en este mundo. El tiene poder para pasar, cuando quiere, de la dimensión espíritual a nuestra dimensión material.

Ahora la pareja parecía estar un poco confundida, de modo que levanté la voz:

—*Jesús* tiene poder. El tiene poder para sanarlo a usted y ayudarle en su vida. El puede hablarle a través de la práctica de la oración y la meditación. El está exactamente dentro de usted. Todo lo que necesita hacer es meditar, y él le enseñará a cultivar una vida abundante. El lo sanará. El es Dios, es omnipresente, está en todo lugar, y tiene poder para sanarlo y darle sabiduría para vivir.

El joven comenzó a dar señales de interés. Luché para retener su atención.

—La voz de Dios está exactamente dentro de usted, si sólo toma tiempo para meditar y escucharle —dije.

Vacilé por un instante para tomar un poco de aire. El joven le dio un codazo discreto a su pareja para que se moviera.

Mi anuncio estaba atrayendo la atención de mucha gente. Algunas personas se reían cuando lo veían. Otros lo miraban con más seriedad, y luego me observaban, como diciendo: "Hmmmm, ¿quién será este amigo?"

Cuando las piernas me comenzaron a temblar por efecto de la tensión, de modo deliberado respiré profundamente: una técnica que había aprendido en mis clases de bioenergética varios años atrás. Esta profunda inhalación me infundió calma y fuerza.

Tres jóvenes hippies se me aproximaron.

—¿Dónde está Cristo entonces? —me preguntó uno de ellos.

—Está justamente dentro de ti —le respondí, mientras le señalaba el pecho.

Uno de ellos preguntó sinceramente:

—¿Y de qué manera puede ayudarme a mí?

—Jesús tiene poder —le repliqué—. El es Dios. El puede transformar tu vida si se lo permites. Por ejemplo, si él toma el control de tu vida, podrías llegar a ser presidente de la General Motors. Dios puede hacer cosas asombrosas e ilimitadas en tu vida. Pero debes meditar y buscar su presencia.

Luego les di más palabras de ánimo a esos jóvenes antes que se marcharan.

En cierto momento un anciano comenzó a decirme cuánto había anhelado leer la Biblia. De reojo vi una patrulla de la policía que se abría paso poco a poco entre la multitud.

Volviendo mi atención al caballero, le comenté:

—Leer la Biblia es bueno, pero tiene sus limitaciones. No le dice a usted lo que Dios quiere comunicarle en este momento. La única forma de saber la voluntad de Dios para su vida es meditando y escuchando la voz del *Espíritu Santo*.

El coche de la policía se acercaba lentamente.

Sintiéndome un poco incómodo, eché una mirada a la sinagoga.

La patrulla llegó frente a mí y se detuvo.

Me pregunté si estaría haciendo algo ilegal. Quizá la gente de la sinagoga se había quejado ante la policía.

El oficial sacó su cabeza por la ventanilla y preguntó:

—¿Dónde está entonces?

Su compañero entornó los ojos y me miró con una mueca en el rostro.

—El está exactamente dentro de su patrulla —le repliqué con una amplia sonrisa mientras señalaba hacia su vehículo.

Le expliqué mi mensaje evangélico al oficial. El me agradeció y siguió adelante.

Muchas personas se me acercaron para preguntar: "¿Dónde está él?" A veces se quedaban un buen rato escuchando mi disertación. Otras veces comenzaban a caminar al oír mi primera frase. Algunas personas hacían preguntas verdaderamente serias, mientras que otros miraban o se detenían sólo por curiosidad.

Cierto hombre me dijo que era un creyente apóstata. Al final de nuestra conversación dijo que iba a comenzar a asistir a la iglesia nuevamente gracias a mis palabras de aliento y esperanza.

El meollo de mi mensaje era decirle, a quien quisiera escuchar la realidad acerca de la existencia de *Jesús* en este planeta, y hablarle sobre la importancia de la meditación como un método para tener acceso a su gran sabiduría y poder sanador. Si tan sólo lograba inducir a la gente a meditar, yo sabía que *la voz del yo superior*, esa voz clara, serena, de la *conciencia interior*, haría el resto para traer a esa persona a la senda espiritual. Yo esperaba que los buscadores encontraran el camino de la Nueva Era cristiana.

Me quedé en la playa toda la tarde, testificando ante una diversidad de personas: cristianos, hindúes, ateos, gnósticos, y gente de la Nueva Era. Tenía mucho cuidado de adaptar mi mensaje a cada tipo de persona, orientándolo a su modo particular de ver las cosas. Mi obra de testificación se convirtió, de pronto, en una emocionante y exitosa aventura.

Cuando la tarde comenzó a caer, procedí a empacar. Regresé a casa cansado, pero muy animado. Era como si hubiera roto el hielo al hacer la obra que se me había encomendado. El alivio y el gozo interior que experimenté los consideré como una recompensa especial de Dios por mi exitosa actuación.

El maravilloso sentimiento de gozo y alegría me duró varios días. Me sentí realmente elevado e incluso empecé a pensar en volver a la playa la siguiente semana.

El anuncio hizo su trabajo maravillosamente, dándome la oportunidad de testificar ante muchas personas. Sin embargo, me di cuenta de la necesidad de folletos para darles a los que se detenían a preguntar y a los que pasaban de largo.

En mis meditaciones fui inspirado a escribir un folleto titulado: "La búsqueda de la felicidad". Le puse a mi ministerio el nombre de *Luz del Camino*, una variación del *Camino Luminoso*. Escogí dicho nombre en honor de *El Camino*, el nombre original dado a la iglesia primitiva, como se registra en el libro de Los Hechos. Con el propósito de tener una dirección a través de la cual pudieran ponerse en contacto conmigo, impreso en estas publicaciones, alquilé un apartado postal y después mandé a imprimir cientos de folletos.

Dediqué casi todos los sábados y domingos a testificar en el malecón de la playa. Nunca volví a sentir la gran alegría que experimenté después de mi primera actuación. Simplemente se trataba de hacer la obra de *Dios*, una obra más bien agobiante, pero que se me había encomendado específicamente. Conocí a todo tipo de gente e inicié algunas amistades con varias personas que venían a verme cada semana en forma regular.

Aprendí que debía ser más cuidadoso cuando les hablaba a mis "hermanos" cristianos. No quería que tuvieran una impresión equivocada acerca de mi ministerio. Opté por preguntar, a quien se detuviera a inquirir, si era cristiano. Si la persona contestaba "Sí", me las arreglaba para que mis ideas fueran más compatibles con las creencias cristianas tradicionales. Si la persona contestaba "No, no soy cristiano", sabía que tenía mucha más libertad para hablar con ella.

Por ejemplo, cuando me dirigía a los de la Nueva Era, podía decirles abiertamente que yo había sido de la Nueva Era. Les informaba que *Jesucristo* había entrado en mi vida, y que me había convertido en un *cristiano* de la Nueva Era. Les decía que había descubierto que *Jesús* tiene mucho más poder que mi gurú hindú anterior, y les explicaba que *Jesucristo* era la cabeza de todos los gurúes y Maestros:

"Jesucristo es Rey de reyes y Señor de señores —decía yo a veces—. Todos los gurúes y Maestros están subordinados a él, y es mejor ir directamente a la fuente de poder. Si usted medita y ora a *Jesucristo*, comenzará a ver milagros en su vida. Es lo que me ocurrió a mí".

Tuve la impresión de que debía escribir un segundo folleto. Este presentaba el asunto de la meditación cristiana y daba instrucciones específicas acerca de cómo aplicar las técnicas de meditación que había aprendido en el *Nuevo Camino Luminoso*. Les daba copias de este folleto a todos los realmente interesados.

Tras dedicar varias semanas a la testificación en la playa, un grupo de individuos comenzaron a frecuentarme regularmente para buscar consejo con relación a problemas personales, generalmente dificultades que tenían en sus relaciones o en su experiencia religiosa. Al final de casi todas las sesiones de aconsejamiento ponía una mano en el hombro del hermano, sostenía la otra en el aire y pronunciaba una oración intercesora en voz alta. Concluía cada oración con esta invocación: "Padre Celestial, pedimos esto en el Nombre del Señor Jesucristo. Amén". Un hombre que tenía un largo historial de problemas mentales me dio su dirección y me pidió que me mantuviera en contacto con él. Me sentí impresionado al escribirle una larga carta de ánimo.

Me relacioné con una mujer que vivía en un departamento en el malecón, muy cerca de mi lugar de testificación. Ella me confió que hacía dos años había visto aparecer a *Jesús* exactamente allí en la playa, cerca de donde yo tenía el anuncio. Me contó que "mientras estaba sentada en esa banca, de repente la luz brillante de una figura resplandeciente apareció de pie sobre la arena a unos 30 metros de aquí. Yo sabía que era *Jesús*. Me volví a la dama que estaba sentada cerca de mí y le dije: 'Mire, allí, ¿puede verle?' Después de unos momentos *Jesús* desapareció misteriosamente".

Algunas personas se quedaban conmigo mucho tiempo, haciéndome todo tipo de preguntas. Un empleado quiso saber lo que yo pensaba acerca de la segunda venida de Cristo. De muy buena gana le expliqué la naturaleza de ese importante acontecimiento.

—*Jesús* ya se ha aparecido a muchas personas en este planeta —le dije—, pero ello no constituye su segunda venida total. *Jesús* pronto aparecerá en nuestro mundo con un cuerpo físico real, exactamente como el que tuvo en Palestina.

Entonces el abogado preguntó:

—¿Cuándo vendrá Jesús?

—Yo espero que aparezca en unos quince años. Al menos eso es lo que él me dijo hace unos dos meses.

El hombre hizo un gesto como si estuviera sorprendido de mi respuesta.

—El se materializará pronto en un cuerpo físico de carne y sangre —continué—; entonces aparecerá en el mundo en forma permanente a fin de reclamar su posición como Señor de señores y Rey de reyes. Esa será su segunda venida. Vendrá a establecer su reino. El inaugurará el milenio y tendremos mil años de paz y prosperidad. El libro bíblico de Apocalipsis profetiza todo esto.

—¿Aparecerá en las nubes de los cielos? —preguntó el hombre.

—Déjeme aclararle algo. No espere que Jesús aparezca en las nubes de los cielos con todos sus ángeles. No será así. El término bíblico *nubes* es simbólico; se trata de una "sustancia etérea".

Otra persona comenzó a escuchar a hurtadillas.

—Cuando *Jesús* regrese, la atmósfera que le rodee tendrá a veces una apariencia vaporosa, como nube. Es lo que quiere decir la Biblia cuando dice que aparecerá en las nubes.

Después de algunas digresiones oré con el abogado. Me agradeció y me dijo que esperaba verme la siguiente semana.

En ocasiones grupos enteros de personas se reunían en torno mío para oírme hablar. Cuando esto ocurría, yo alzaba la voz y les predicaba valientemente, tal como lo había hecho la primera vez que vine al malecón en respuesta al mandato de *Jesús* que me decía que fuera a predicar el Evangelio.

Algunos individuos se ofrecieron a ayudarme en mi obra. Me hice amigo de un joven en particular. Un cristiano recién bautizado que tocaba el sintetizador en una banda de música cristiana, se manifestaba muy interesado en mis experiencias místicas. Comimos juntos unas dos veces y le di consejos y lo animé a practicar la meditación.

Mientras disfrutaba de mi ministerio en la playa, en cierto sentido, todavía detestaba la idea de testificar en el centro comercial. Evitaba hacerlo siempre que podía, y sólo lo hice cuando fui literalmente obligado a ello.

Se suponía que debía testificar en el centro comercial en las noches después del trabajo para complementar el ministerio de la playa, aunque en realidad yo había hecho muy poco, comparado con lo que sentía que *el Señor* quería que hiciera. A veces, en vez de testificar, me las arreglaba para trabajar hasta muy tarde, y luego me iba directamente a casa a leer la Biblia u otra publicación cristiana.

Un domingo de mañana recibí la clara indicación de ir a la playa Venice, como de costumbre. Mientras manejaba cómodamente por la carretera, la voz interior resonó de repente en mi mente.

—Regresa —dijo—. Hay un cambio de planes. Debes testificar en el centro comercial hoy. Da la vuelta y ve al Centro Comercial de Carson.

—¡Oh, no! —exclamé—. ¿Es esto en serio?

Sintiéndome un poco tenso, no supe qué hacer con esta inesperada intrusión, particularmente porque aborrecía la sola idea de ir a predicar en el centro comercial. Pensé que la voz pudo haber provenido del reino astral. Puse atención para recibir mayores instrucciones. Como no oí nada más, seguí rumbo a la playa, aunque me sentía un poquito culpable.

Mientras conducía perdí de vista por completo el retorno de la carretera. Qué extraño, pensé, nunca antes me había pasado esto.

Seguí adelante con la intención de volver en el próximo retorno. Pero también me pasé de aquella salida. Era como si mi mente se hubiera puesto en blanco. Comencé a preguntarme si estos graves errores de manejo no serían señales de que debería haber regresado cuando oí por primera vez la inesperada orden. Comencé a sentirme incómodo y me preguntaba si no sería mejor regresar e ir al centro comercial; pero pensé que ya era tarde, y además estaba muy cerca de la playa.

Realicé una breve meditación en el estacionamiento. Mi yo superior parecía indicarme que permaneciera en la playa y desplegara mi anuncio como siempre, pero las señales no eran claras. Como no recibí otra indicación, decidí quedarme allí.

Tuve éxito y permanecí en la playa hasta muy tarde. Mi buen amigo cristiano, el de la banda de música, vino a visitarme. Me comentó su idea de que en algún momento deberíamos poner una plataforma y predicar el Evangelio a la gente de la playa, usando un aparato de sonido y una banda de música de rock cristiano.

—Es exactamente lo que yo he estado pensando —le contesté. Luego le hablé de otras ideas que tenía de cómo, en general, pensaba ampliar mi ministerio, por ejemplo grabando en un estudio programas radiales y luego difundiéndolos a través de las ondas mediante espacios pagados.

Tratar de convencer a la gente que se volviera a Cristo era un trabajo agotador. Finalmente llegó la noche, de modo que salí rumbo a mi casa muy cansado y listo para un buen descanso. Durante el viaje de regreso empecé a sentirme deprimido. Para cuando llegué a casa la depresión me torturaba como un asesino. Me sentía terriblemente mal.

Al dirigirme a mi departamento, la voz interior irrumpió abruptamente:

—Mira, deberías haber dado vuelta e ido al centro comercial cuando te di instrucciones en la carretera.

Comprendí que había cometido un error al ignorar las sorpresivas instrucciones.

—Debes estar preparado para seguir mis instrucciones siempre —me reprendió la voz de la conciencia—. Debes hacer exactamente lo que te digo. Te exijo obediencia.

Comencé a sentirme furioso con *Jesús* por su reprimenda, máxime que yo estaba exhausto por el largo día de trabajo haciendo la obra misionera. Miré hacia el cuadro de Sallman con el retrato de Jesús que colgaba de la pared. No podía entender por qué retiraba su gracia de mí y permitía que fuera castigado con esta depresión, simplemente porque había cometido un error de juicio.

La ira comenzó a hervir dentro de mí. Cogí brúscamente un afilado cuchillo para cortar carne del mostrador de la cocina. En un acceso de ira, me dirigí tambaleante hacia la pintura de Cristo. De pie, frente a ella, dirigí agresivamente la fría hoja de acero hacia el rostro de Jesús.

—Tú, bastardo —le dije muy airado.

Mis quijadas trataban de cerrarse para bloquear las palabras.

—¡Tú----------, bastardo! ¡Empleé todo el día haciendo tu obra, y ahora tratas de atormentarme de esta manera!

Entonces comencé a gritarle con una voz que sonaba como amordazada:

—¡Tú, bastardo. Te odio!

Furiosamente blandí el cuchillo frente al cuadro.

—¡Sería capaz de matarte por esto! —le grité en voz muy alta.

Después de un momento de vacilación, me volví y di unos pasos alejándome del cuadro. Pero volviéndome otra vez para enfrentarme a la pintura, apreté la hoja del cuchillo contra mi estómago y miré hacia Jesús.

—Me vas a obligar a hacer esto —gruñí, mientras el impulso de matarme mediante el Hara-kiri, surgía dentro de mí.

Lo único que me rodeaba era un silencio mortal.

Me di vuelta y bajé el arma, en un esfuerzo por controlar mi ira antes de cometer una locura.

Inclinándome, me quité los zapatos. De pronto tomé uno de ellos y lo estrellé repetidamente contra el piso en un acceso de ira incontenible. Me imaginaba golpeando a *Jesús* precisamente en la cara.

¡Bang!

¡Bang!

¡Bang!

¡Bang!

—Tú, bastardo —le grité con todas las fuerzas de mis pulmones.

—¡Te odio!

¡Bang!

¡Bang!

¡Bang!

¡Bang!

Estrellé el zapato violentamente contra el piso vez tras vez con todas mis fuerzas. Era como si estallara la presión a la cual había estado sometido durante todas esas semanas y meses en que había sido forzado a llevar a cabo el ministerio de testificación en la playa y en el centro comercial.

La exigencia de enviar un cheque extra de mil dólares a Muriel en Texas había acentuado más mi exasperación, mientras seguía golpeando el suelo:

¡Bang!

¡Bang!

¡Bang!

El brazo comenzó a dolerme.

Hice una pausa para tomar un poco de aliento.

Pero al ver nuevamente el rostro de Jesús en el cuadro, la ira volvió a estallar dentro de mí.

—¡Tú------- bastardo!

—¡No te atrevas a hacerme esto!

—¡Te odio!

Me sentí exhausto, y finalmente me detuve. Mientras estaba allí, de rodillas, jadeando como un mulo, con la mano adolorida por haber golpeado el piso duramente, comencé a comprender que lo que había hecho era terrible. Caí en el piso y pedí perdón y misericordia. Las lágrimas corrían por mis mejillas, mientras oraba a *Jesús* con grandes gemidos. "Señor, por favor, perdóname. Entiendo por qué me estás disciplinando tan severamente. Sé que tengo que vencer mi debilidad y ser completamente sumiso a tu voluntad. Por favor, dame la fuerza para vencer".

Yo creía que *Jesús* me amaba, y si era duro conmigo era por mi bien y porque la misión de predicar el Evangelio debía avanzar rápidamente. Dije al Señor que estaba apenado por la pérdida de control sobre mis emociones y por las terribles blasfemias que había proferido.

Curiosamente, mientras oraba pidiendo misericordia, tenía la vaga sensación de que *Jesús* no estaba molesto por mi explosión de ira. Intuitivamente sentí que se reía de mí. Fue una fuerte impresión, como si pudiera oír claramente su risa dentro de mi mente. Sentía que ni siquiera necesitaba pedir perdón.

Pensé que, dado que *Jesús* era divino, conocía mi frustración y mi ansiedad crónica por tener que hacer la obra de testificación, y lo menos que podía hacer era perdonarme completamente, aun cuando no se lo hubiera pedido. El no se había sorprendido en absoluto por el berrinche que había hecho.

Al levantarme del piso noté que ni siquiera experimentaba remordimiento por mis tremendas blasfemias. El sentimiento de culpabilidad me había abandonado. Mentalmente sabía que debería sentirme culpable, pero no era así.

Al ir a la cocina noté que ya no me embargaba la profunda depresión. Tenía mucha hambre y comencé a preparar la cena.

Es posible que usted se pregunte si alguna vez tuve dudas en cuanto a la identidad de los espíritus que gobernaban mi vida, o sea, dudas de que fuera el verdadero Jesús. Lo cierto es que nunca sospeché que fuera esclavo de los demonios que se hacían pasar por agentes de luz. Mi confianza en la senda de la Nueva Era y en los espíritus guías se había desarrollado a través de muchos años. Después que hube leído los libros de Alice Bailey, me convertí en un devoto "creyente" de la Nueva Era, en los espíritus guías, y en su filosofía. Por eso fui un candidato fácil para la "posesión" total. Prácticamente nada podía mellar mi fe en mis creencias, ni hacerme dudar de la autenticidad de mi espíritu guía. Incluso mi fiel lectura de la Biblia no podía penetrar las mallas del engaño puesto que yo tergiversaba el significado de los textos a fin de hacerlos armonizar con mis creencias metafísicas.

Satanás tiene un increíble poder para engañar. Eso explica por qué las sectas son tan esclavizantes. Sus víctimas han construido en torno suyo un muro de fe casi impenetrable basadas en su fiel aceptación de doctrinas contrarias a la Biblia. Una vez que la persona se ha sumergido en una secta, casi será necesario un milagro para rescatarla de los poderes de las tinieblas disfrazados de agentes de luz. El poder satánico es increíblemente grande. No extraña, pues, que aun los elegidos corran peligro.

"No todo el que me dice: Señor, Señor, entrará en el reino de los cielos, sino el que hace la voluntad de mi Padre que está en los cielos. Muchos me dirán en aquel día: Señor, Señor, ¿no profetizamos en tu nombre, y en tu nombre echamos fuera demonios, y en tu nombre hicimos muchos milagros? Y entonces les declararé: Nunca os conocí, apartaos me mí, hacedores de iniquidad" (Mateo 7:21-23).

El solo hecho de que una persona tenga una Biblia en la mano y predique el Evangelio en el *Nombre* de Jesús no significa que sea necesariamente cristiana, un testigo verdadero del Evangelio de Cristo. Como se indica en el texto de la Escritura que citamos arriba, la persona que tiene una genuina relación con Cristo es "el que hace la voluntad de mi Padre que está en los cielos" (Mateo 7:21).

La voluntad del Padre está revelada en la Biblia. Si alguien enseña "verdades" contrarias a la Palabra de Dios, la luz no puede proceder de Cristo. La Biblia dice: "¡A la ley y al testimonio! Si no dijeren conforme a esto, es porque no les ha amanecido" (Isaías 8:20).

Los cristianos deben protegerse de los falsos Maestros y de las enseñanzas erróneas, siguiendo el ejemplo de los nobles bereanos, quienes escrudriñaban "cada día las Escrituras para ver si estas cosas eran así" (Hechos 17:11).

12

Encuentro con cierto espíritu

El Señor le invita ahora. Llama a la puerta de su corazón. Quiere que venga al frente y sea bautizado. ¿Por qué no le acepta? —suplicaba el predicador, mientras el coro cantaba melodiosamente una música de fondo.

¿Será que paso al frente y me bautizo de una vez? Yo estaba sentado en la parte posterior de la asamblea en mi primera visita a esa iglesia en particular. El santuario estaba ocupado por unas 150 personas aproximadamente.

El pastor había predicado con fervor advirtiendo repetidamente a la congregación acerca de las consecuencias del pecado. Al final del sermón comenzó a tocar una banda de música muy animada. Cuando el predicador cantó con la banda, exhortando a los oyentes a vivir una vida más justa, la mayoría de la congregación comenzó a ponerse de pie. Entonces hizo una invitación especial a los que todavía no habían aceptado la salvación, a pasar al frente y lavar sus pecados en las aguas del bautismo. El coro cantó más fuerte para aumentar la tensión.

Antes de iniciar mi ministerio en la playa de Venice, prácticamente todos los domingos por la mañana concurría a los cultos de alguna iglesia cristiana. Por lo regular asistía a diferentes iglesias cada semana para aprender metódicamente diversos estilos de adoración y doctrinas. A veces recibía durante mis meditaciones indicaciones específicas de asistir a una congregación en particular.

Esta mañana se me indicó que fuera a la Iglesia Apostólica Cristiana "La Paz", en Inglewood, un suburbio de Los Angeles. Como no esperaba que me ocurriera nada especial en esta iglesia, estaba destinado a llevarme una gran sorpresa.

Inicialmente me había invitado a esta iglesia Donaldo, uno de los miembros. Donaldo y yo nos habíamos conocido una tarde de la semana anterior mientras trabajaba testificando en un centro comercial de la ciudad. Al final de nuestra interesante conversación me invitó a su iglesia.

Invitación a arrepentirme de mis pecados

El predicador continuó con su emocionante invitación bautismal:

—Jesús está hablando a su corazón ahora mismo, ¡y le invita a entregarse a él!

No estaba seguro de si debía pasar al frente para ser bautizado o no. Recordé la declaración de Muriel de que en algún momento en el futuro ella dirigiría una ceremonia bautismal para los miembros del *Nuevo Camino Luminoso*. Pensé que sería mejor esperar hasta encontrarme otra vez con Muriel para que ella me bautizara personalmente.

—¿Hay alguien más aquí que no haya confesado públicamente su fe? —exhortaba el ministro—. El Señor lo está llamando a lavar sus pecados. Venga al frente y acepte su perdón. —El coro cantaba cada vez con más intensidad.

—Quizá debería hacerlo ahora —me dije nuevamente—. No, todavía no; éste no es el lugar indicado —volví a resistirme.

Decidí meditar sobre este asunto, cerré los ojos y me sumergí en una especie de recogimiento. Inmediatamente tuve una visión relampagueante de un ser semejante a *Cristo Jesús*, de pie, frente a mí. Estaba vestido con una túnica larga y tenía los brazos abiertos.

—Ven a mí —dijo, con un gesto de invitación.

Oí la voz en mi mente confirmando: "Ha llegado el momento. Bautízate".

Sentí que se me revolvía el estómago. Las palmas de las manos me comenzaron a sudar.

Sin más vacilación brinqué de mi asiento y caminé nerviosamente hacia el frente.

Toda la congregación comenzó a aplaudir y a gritar:

—¡Aleluya, bendito sea Dios, Aleluya!

Mientras me conducían al cuarto donde debía cambiarme de ropa, mis entrañas se revolvían con un tic nervioso. Un diácono me pasó una bata bautismal de color blanco. Mi ansiedad pareció disminuir cuando me la puse. Y en su lugar experimenté una viva emoción por la expectativa de mi bautismo.

El diácono me acompañó hasta el bautisterio, que estaba al frente del santuario. Descendí por una escalera y pronto mis pies pisaron el agua fría.

—Will Baron, ¿te arrepientes de tus pecados y aceptas al Señor Jesucristo como tu Salvador personal? —preguntó el pastor.

—Sí —respondí, asintiendo con la cabeza.

No me era fácil escuchar las palabras del predicador que estaba de pie cerca de mí en el agua. Desde el momento en que había salido del cuarto donde se cambiaba uno de ropa la voz interior de *Jesús* me había estado hablando poderosamente.

—Hay un cambio en los planes —me anunció la voz—. No vayas a la playa de Venice esta tarde. Ve a testificar mejor ante la gente en el centro comercial de Carson.

El pastor levantó la mano.

—Yo te bautizo en el nombre de Jesucristo para la remisión de tus pecados.

—Tú tienes que hacer mi obra —seguía martillando *Jesús*.

Sentí que me inclinaban hacia atrás. Luego el agua me corría por la cabeza.

La voz de *Jesús* seguía repitiendo implacablemente:

—Al bautizarte te has consagrado completamente a mí, para hacer mi obra. Ya no habrá más vacilación, quejas, ni demoras.

Tropecé en la escalera al salir de la pila bautismal.

—Ve y ministra con gran celo —me ordenó *Jesús*.

Al salir del bautisterio, los miembros de la junta de la iglesia me rodearon.

—Alabado sea el Señor, hermano Will —decían mientras me estrechaban las manos—. ¡Aleluya, alabado sea el Señor!

Jesús continuó con sus instrucciones explícitas:

—De hoy en adelante dedicarás todo tu tiempo libre a trabajar para mí —ordenó—. Ve al centro comercial y testifica a aquellas pobres almas. Anúnciales mi próximo retorno y el glorioso reino que estableceré en este planeta.

Los diáconos me condujeron al cuarto para cambiarme la bata bautismal empapada que todavía llevaba puesta. Después de secarme y ponerme la ropa, salí del cuarto y comencé a caminar por el corredor. Una señora de edad madura y muy corpulenta se me aproximó.

—Ahora que se ha bautizado, ¿le gustaría recibir el bautismo del Espíritu Santo? —me preguntó con una voz muy gentil.

Tuve la impresión de que era algo así como anciana de la iglesia.

—¿El Espíritu Santo? —le respondí con un gesto interrogante.

—Sí, ahora que ya se ha bautizado con agua, puede ser bautizado con el Espíritu Santo —declaró—. Pero usted debe desear recibirlo.

—¿Quiere decir usted que puedo recibir el Espíritu Santo aquí mismo ahora? —pregunté con cierta duda.

—Sí, es lo que la Biblia promete. Aquí en esta iglesia, todos los que han sido bautizados, y que después pidieron el don del Espíritu Santo, han recibido su bautismo evidenciado por el don de hablar en lenguas.

Después de una pausa, la mujer volvió a preguntarme:

—¿Quiere usted recibir el Espíritu Santo?

Rápidamente me concentré para escuchar a mi yo superior. "Hazlo", le oí decir claramente.

—Sí, deseo recibir el don del Espíritu Santo —le dije a la mujer.

Ella me condujo a lo que me pareció la sala de juntas de la iglesia, donde tomé asiento frente a una larga mesa de madera. Indicándome que regresaría pronto, la mujer salió del cuarto.

Mi mente retrocedió hacia aquella tarde, hacía pocos días, en que conocí por primera vez a Donaldo en el centro comercial. Allí realizaba mi actividad misionera después del trabajo. Cuando me aproximé a él, estaba sentado solo en una banca. Lo primero que le pregunté fue si era cristiano.

—Oh, sí, soy cristiano. Soy cristiano nacido de nuevo, y he recibido el bautismo del Espíritu Santo.

—¿Bautismo del Espíritu Santo? ¿Qué es eso? —pregunté sorprendido.

—¿Te molesta si te hablo de eso?

—No, de ninguna manera —contesté.

—Me encantará hablarte de esto. Siéntate —me dijo.

—Me llamo Donaldo —declaró, presentándose. Luego procedió a decirme cómo había aceptado al Señor y cómo había recibido después el bautismo del *Espíritu Santo*. Me explicó detalladamente que recibir el don de lenguas no era exactamente lo mismo que recibir el bautismo del Espíritu Santo. Dijo con mucha seguridad que recibir el don de lenguas era una manifestación externa de los dones del Espíritu.

—El hablar en lenguas no es lo que se debe desear ni buscar —continuó Donaldo—. Lo que debemos desear es el bautismo del Espíritu Santo.

Como el tema de la conversación me resultó muy interesante, lo bombardeé con preguntas.

—Mira Will, cuando has sido bautizado con el Espíritu Santo, cosas sorprendentes pueden comenzar a ocurrir, a medida que él obra por medio de ti. Por ejemplo, no es por accidente que nos hemos encontrado esta tarde. El *Espíritu Santo* nos puso en contacto.

—Oh, sí, puedo darme cuenta —respondí.

—Hace cinco minutos me disponía a salir del centro comercial por esa puerta —continuó Donaldo —señalando una que estaba cerca—. De repente una voz interior me dijo que diera la vuelta y que me sentara en una de estas bancas.

"Voz interior —pensé— hummmmm, esto es interesante".

—No entendía por qué debía regresar y sentarme aquí —continuó Donaldo—. Pero podía sentir que el *Espíritu* me impulsaba. De modo que vine a sentarme en esta banca. Segundos después tú te me acercaste.

Estaba fascinado. No me había dado cuenta que los cristianos también recibían instrucciones por medio de voces interiores como yo las recibía. Naturalmente, había muchas cosas que no comprendía acerca del cristianismo ni de la naturaleza del Espíritu Santo o de su modo de obrar.

—Fue el Espíritu Santo —afirmó Donaldo—, el que me decía que me sentara en esta banca, porque quería que nos encontráramos. No nos encontramos por casualidad; fue algo providencial. El *Espíritu* obra en formas misteriosas.

Profundamente intrigado por la afirmación de mi amigo de que había recibido el bautismo del *Espíritu Santo*, pregunté:

—Donaldo, dime, ¿cómo puedo recibir el bautismo del Espíritu Santo?

El me miró fijamente a los ojos y me dijo seriamente:

—Debes asistir a una iglesia que tenga el *Espíritu Santo* y que crea en el bautismo del *Espíritu.* Tú nunca recibirás el don mientras estés entre gente que no cree en él.

Donaldo me invitó a su iglesia y me dejó la dirección e instrucciones de cómo llegar a ella.

Mi atención pronto se volvió a la sala de juntas. La anciana de la iglesia volvió al cuarto, acompañada de una mujer más joven, que procedió a acomodarse en el lado opuesto de la mesa. Al parecer esta joven también acababa de bautizarse, y los dos éramos candidatos a recibir el don del *Espíritu.*

La anciana de la iglesia se sentó en la cabecera de la mesa y nos pasó a ambos una Biblia. Tomando la suya, comenzó a buscar entre sus páginas.

Pensé para mí mismo: "He tenido tantas experiencias místicas como devoto de la Nueva Era Cristiana, que estoy seguro que *Dios* me considera un candidato apropiado para recibir el don de su Santo Espíritu".

La anciana de la iglesia comenzó a hablar.

—La Biblia nos dice que si nos arrepentimos y somos bautizados, recibiremos el don del Espíritu Santo. Esto se promete en Hechos capítulo dos, versículos 38 y 39.

Se inclinó para leer su Biblia, ajustó la posición de sus lentes y leyó los dos versículos en voz alta: "Pedro les dijo: Arrepentíos, y bautícese cada uno de vosotros en el nombre de Jesucristo para perdón de los pecados; y recibiréis el don del Espíritu Santo. Porque para vosotros es la promesa, y para vuestros hijos, y para todos los que están lejos; para cuantos el Señor nuestro Dios llamare". Luego nos miró a ambos.

—La Biblia promete el don del Espíritu Santo a aquellos que se arrepienten y han sido bautizados. Ustedes se han arrepentido y se han bautizado. De modo que dentro de poco recibirán el don del *Espíritu Santo*. Todos los que han sido bautizados en esta iglesia Apostólica La Paz y han deseado el don del Espíritu lo han recibido. Ninguno ha sido pasado por alto.

Con semejante garantía, comencé a anticipar que algo maravilloso ocurriría.

La anciana prosiguió:

—La Biblia nos dice claramente que la evidencia de que hemos recibido al *Espíritu Santo* es la capacidad de hablar en lenguas —y a continuación leyó Hechos 2:4 y 10:44-46.

Mis pensamientos volaron hacia la conversación sostenida entre Donaldo y yo en el centro comercial. Recordé que me había dicho que sólo pocos cristianos recibieron el don del Espíritu Santo y que éste era muy importante.

La anciana de iglesia citó algunos textos más relacionados con el Espíritu Santo y el don de lenguas, antes de preguntarnos si creíamos de verdad lo que acabábamos de leer. Cuando le dijimos que sí, se puso de pie y nos pidió que la siguiéramos hacia el santuario. Estaba vacío, salvo por la presencia de un grupito de mujeres jóvenes que estaban de pie cerca de la entrada, que fueron identificadas como ministras asistentes.

Se nos pidió a ambos que nos arrodilláramos en la barandilla del altar. Las mujeres jóvenes nos rodearon.

—A fin de recibir el don del Espíritu Santo —dijo la anciana—, deben agradecerle a Jesús por haberlos salvado. Díganlo fuerte: "Gracias Jesús". Sigan diciéndolo hasta que él venga sobre ustedes.

Cerré los ojos, doblé mis manos y dije suavemente: "Gracias Jesús, por haberme salvado".

—Más fuerte. Sigan diciéndolo —nos animaba la anciana.

—Gracias Jesús por haberme salvado. Gracias Jesús por salvarme

—repetí.

—No se detengan —interrumpió una de las jóvenes ministras asistentes—. Sigan repitiendo: "Gracias Jesús, gracias Jesús".

—¡Gracias Jesús, gracias Jesús! —grité.

—Gracias Jesús, gracias Jesús.

—Gracias Jesús, gracias Jesús.

—Gracias Jesús, gracias Jesús.

—Gracias Jesús, gracias Jesús.

—No se detengan —gritó otra de las mujeres—. Sigan diciéndolo. ¿No están contentos de que Jesús los haya salvado? Sigan agradeciéndole por eso.

Yo seguí repitiendo: "Gracias Jesús, gracias Jesús", muchas veces.

—Más fuerte —gritó otra de las asistentes. —Griten a todo pulmón. Díganle a Jesús cuán agradecidos están. Vamos, sigan diciéndolo. "Gracias Jesús, gracias Jesús".

La otra candidata y yo seguimos repitiendo a voz en cuello las frases indicadas.

Las jóvenes asistentes comenzaron a actuar como porristas, gritando palabras de ánimo y exhortándonos a seguir repitiendo "Gracias Jesús, gracias Jesús".

De repente, el estrépito de algo que caía nos interrumpió. Abrí un poco mis ojos para ver. En la excitación, una de las ministras asistentes había caído accidentalmente hacia atrás, dándose contra el púlpito, al que por poco derriba. En la conmoción, la gran cruz de madera que estaba frente al púlpito cayó y se estrelló contra el piso.

Cerré mis ojos rápidamente y reanudé mis gritos de "Gracias Jesús", para librarme de la condenación. Las porristas continuaron sus exhortaciones mientras el santuario se llenaba con el estruendo de nuestras súplicas.

Después de lo que me parecieron siglos, mi voz comenzó a enronquecer por la fatiga. Yo me preguntaba: "¿Cómo puede ser éste un don de Dios, si tengo que trabajar tanto para conseguirlo?"

Inmediatamente contrarresté este pensamiento negativo con otro positivo: "Mientras esté aquí, debo hacer todo lo posible por obedecer las instrucciones; debo hacer todo lo mejor que pueda".

"Gracias Jesús, gracias Jesús", volví a decir inmediatamente con fervor, repitiéndolo varias veces.

Recordé la declaración de la anciana de la iglesia de que todos los candidatos en la iglesia Apostólica La Paz habían recibido el bautismo del *Espíritu Santo.*

Tras varios minutos de repetir monótonamente aquello, ya tenía dificultad para hablar, como si mis quijadas fueran a sufrir pronto algún tipo de espasmo.

La anciana y las asistentes se pusieron histéricas e imploraron:

—Que vengan las palabras. No las resistan, déjenlas salir.

Traté de hablar: "Gracias Jesús", pero no pude. Mis labios temblaban en un espasmo involuntario.

La candidata que estaba junto a mí emitió un alarido, como un falsete de los montañeses del Tirol.

—Sigan adelante, no se detengan —nos gritó una asistente, ya que yo había perdido momentáneamente la concentración al oír los alaridos de la otra candidata.

Decidido a continuar hasta recibir el don, noté que los temblores de mi garganta pronto se convirtieron en una exclamación en una lengua que yo no podía entender. De pronto se volvió fácil para mí hablar en esta lengua muy peculiar. Sentí como si estuviera canalizando exactamente en la forma en que lo hacíamos en las sesiones del *Camino Luminoso*. La diferencia era que en esta ocasión yo estaba canalizando en una lengua desconocida. No sabía el significado de las palabras que en mi mente las imaginaba como sonaría el idioma ruso.

Me sentí aliviado cuando todo terminó, pues estaba exhausto.

El santuario quedó en silencio. Abrí los ojos. Las ministras asistentes estaban levantando la cruz de madera y poniéndola nuevamente en su lugar frente al púlpito.

La anciana estaba arrodillada en silencio frente a mí. Le pregunté si ella entendía el lenguaje del *Espíritu Santo*.

—No —me replicó quedamente. Luego me preguntó con gentileza:

—¿Qué va a hacer ahora?

Sin vacilación le contesté:

—Voy a hacer la obra del *Señor*. ¿Hay algo más que hacer?

Yo me refería a la testificación en el centro comercial que *Jesús* me había ordenado hacer esa tarde. Me levanté y salí.

Mientras escribo este libro no puedo menos que comparar la experiencia que tuve en la Iglesia Apostólica La Paz, con otro bautismo que recibí más tarde. Esta ceremonia de inmersión en agua ocurrió pocos meses después que el verdadero Espíritu Santo me rescató de la esclavitud de Satanás y su perversa maraña de mentiras. En esta última ocasión fui bautizado en una relación con el auténtico Jesucristo, Dios e Hijo del Padre Altísimo.

Cuando entré en el agua, ninguna voz resonaba en mis oídos acosándome para que hiciera su obra. Pasé todo el día lleno del sencillo gozo de la paz con Dios. Lo que estaba experimentando era la salvación por gracia, la salvación por la fe en lo que Jesús había hecho por mí.

Comentarios sobre Satanás y los dones del Espíritu

Cuando hablé en lenguas en la Iglesia Apostólica La Paz, era obvio que la manifestación no podía haber sido del Espíritu Santo, puesto que yo era discípulo de Satanás. También es evidente que la metodología usada por esa iglesia para precipitar el "don" no es bíblica. Los gritos repetitivos de, "gracias Jesús, gracias Jesús", son contrarios a la amonestación de Jesús en Mateo 6:7: "Y orando, no uséis vanas repeticiones, como los gentiles, que piensan que por su palabrería serán oídos".

Quizá el lector se pregunte si Satanás tiene poder para falsificar los dones del Espíritu Santo, tales como el don de sanidad, y de hablar en lenguas, en nuestros días.

Jesús declaró que "se levantarán falsos Cristos y falsos profetas, y harán señales y prodigios, para engañar, si fuese posible, aun a los escogidos" (Marcos 13:22).

Pensemos en los días del profeta Elías. Durante el reinado del rey Acab, el profeta de Dios desafió a los 450 profetas de Baal en el Monte Carmelo para probar quién era el verdadero Dios, Baal o Jehová. Cada uno de los oponentes edificó un altar de piedras, con leña y un buey sacrificado sobre él. Los profetas entonces debían pedir por turno a su dios que enviara fuego del cielo para consumir su ofrenda. El dios que respondiera por fuego sería declarado Dios verdadero.

Los profetas de Baal clamaron desde la mañana hasta la tarde. Incluso se hirieron con cuchillos y lancetas hasta hacer fluir la sangre. Pero Baal no respondió.

Entonces Elías hizo derramar cuatro cántaros de agua sobre su ofrenda. Esto se repitió tres veces. Después de orar a Dios, el fuego descendió y consumió no sólo el holocausto, sino también el altar de piedra y toda el agua.

Es obvio que en los tiempos del Antiguo Testamento los poderes satánicos estaban restringidos y no pudieron hacer lo mismo que el poder de Dios, haciendo descender fuego del cielo.

Pero se puede contrastar esta situación con las profecías del tiempo del fin, de Apocalipsis y la era del anticristo, simbolizado por la bestia que subía de la tierra. Juan describe a la bestia así:

"También hace grandes señales, de tal manera que aun hace descender fuego del cielo a la tierra delante de los hombres... y engaña a los moradores de la tierra con las señales que se le ha permitido hacer" (Apocalipsis 13:13, 14).

Al parecer, la Biblia revela que en los últimos días, se le permitirá a Satanás falsificar algunas manifestaciones que antes sólo eran prerrogativa del Espíritu Santo.

13

Infiltración secreta

Jesús tenía una nueva misión para mí: debía infiltrarme secretamente en una iglesia cristiana local.

Habían pasado varios meses desde el inicio de mi ministerio en la playa y el centro comercial. Al principio ni siquiera me daba cuenta que había comenzado una nueva misión. Originalmente sólo se me ordenó unirme a la congregación y tomar parte en tantas actividades como fuera posible. Pero pocas semanas después se me dieron más instrucciones. Mi tarea consistía en buscar contactos apropiados y hacerme amigo de ellos. Entonces tenía que introducirlos con mucha sutileza en el concepto de la meditación cristiana como medio de comunicación con *Dios*. El objetivo era iniciar un grupo de meditación dentro de la congregación.

La nueva aventura comenzó durante mi trabajo de testificación en el centro comercial cuando conocí a un cristiano muy dedicado de nombre Wayne. El me preguntó a cuál iglesia asistía.

—Oh, no soy miembro de ninguna iglesia en particular —repliqué—. Me considero miembro del cuerpo de Cristo, y todas las denominaciones forman parte de ese cuerpo.

—¿Asiste usted a alguna iglesia local? —me preguntó Wayne muy cortésmente.

—Sí, he visitado varias iglesias en esta zona. Voy a la iglesia donde el Espíritu me impulsa a asistir en el momento.

Wayne me invitó a su iglesia, Capilla de la Esperanza, en Hermosa Beach. Yo había oído acerca de ella, pero nunca la había visitado. Esa tarde, durante mi meditación, la voz interior me indicó que fuera a dicha iglesia.

Visité la Capilla de la Esperanza por primera vez un domingo por la tarde, durante un servicio al cual asistieron unas 2,000 personas. Una banda, con varios cantantes, inició el culto, entonando música evangélica contemporánea. La predicación que siguió era de corte teológico conservador. Si bien el predicador era talentoso, me pareció que obviamente necesitaba educarse en las ideas avanzadas que *Jesús* trataba de introducir en este planeta.

Pocos días después la voz interior de la meditación me indicó que debía asistir a la Capilla de la Esperanza regularmente. Por lo tanto, asistí a una serie de estudios para los recién llegados a la iglesia y, después de completarlos, tomé un curso más avanzado requerido para llegar a ser miembro regular de la iglesia. Las lecciones fueron impartidas por un simpático miembro del cuerpo pastoral, de nombre Ken. Puesto que ambos éramos ciudadanos británicos, Ken y yo llegamos a ser buenos amigos.

Para entonces yo consideraba mi asistencia a la iglesia como un medio de educarme y enriquecerme en el conocimiento de la iglesia cristiana. Este recurso me ayudó a mejorar mi técnica de testificación ante personas de varias religiones que conocí en el malecón de la playa Venice. Pero esta vez la voz interior de la meditación me informó que yo tenía una misión especial que cumplir en esta congregación específica.

Ginger fue mi primer contacto en la Capilla de la Esperanza. Era una atractiva mujer de más o menos 30 años que tocaba el violín electrónico en la banda de la iglesia. Al comienzo me entusiasmaban los violines electrónicos de las bandas de rock, así que me interesé mucho en sus técnicas interpretativas. Después del himno de clausura del servicio, un domingo por la tarde, me dirigí a la plataforma y la felicité por su habilidad. Hablamos un poco acerca de su violín.

Al cabo de dos semanas me topé con Ginger en uno de los pasillos de la iglesia después del culto del domingo por la tarde. Después de hablar un poco acerca de nuestro mutuo aprecio por la música rock de los sesentas y los setentas, la conversación derivó hacia una consideración de nuestra vida espiritual.

De repente la voz interior me dijo: "Dile algo acerca de la práctica de la meditación".

—Ginger, en realidad, la principal disciplina espiritual que yo practico es la meditación —le dije, un tanto vacilante.

—Oh, lo mismo hago yo —replicó Ginger, entusiasmada—. Me volvería loca sin ella.

Me sentí sumamente gozoso al escuchar su declaración y ya no tuve necesidad de andar con rodeos en cuanto a lo que yo llamaba "meditación". Sencillamente sentí que se refería obviamente a la práctica tipo oriental de la contemplación silenciosa del cosmos. Mientras hablábamos acerca de nuestro mutuo interés en la meditación, le sugerí que iniciáramos un grupo de meditación cristiana en la iglesia. A Ginger le pareció una idea fabulosa.

En este momento se aproximó a nosotros Ken, el pastor británico, y se nos unió. Aun cuando estábamos bastante relacionados sentí que no debía continuar nuestra conversación acerca de la meditación en su presencia. Por un instante hice una introspección en forma consciente para oír en caso de que hubiera alguna advertencia de mi yo superior. Cuando no percibí más que el silencio, di por sentado que no había inconveniente en continuar la conversación.

—Ken, precisamente discutíamos la idea de comenzar un grupo de meditación cristiana —dije.

—Hummmmm, bueno,.... este,... eeeeeeeeste —reaccionó Ken en respuesta a mi declaración. Así que le interrumpí:

—Tú sabes que en el Antiguo Testamento se habla mucho de la meditación. David la practicaba como una forma de comunión con Dios, según el libro de los Salmos, como un proceso para oír la voz del Espíritu Santo. También se practicaba comúnmente en los monasterios durante la Edad Media; pero desde entonces es un arte que se ha perdido, víctima del frenético ir y venir de la vida moderna.

Ken parecía sólo medio interesado en mis palabras. Comentó vagamente: —Bueno, tendrán que luchar para iniciar un grupo aquí. Estoy seguro que habrá algunas personas interesadas.

Ginger habló en ese momento:

—Sí, yo lo hago personalmente. Es una experiencia maravillosa sentarse, relajarse, y darse tiempo para estar con Dios.

La perspectiva de iniciar un grupo de meditación cristiana en la Capilla de la Esperanza me emocionaba. Mi deseo era formar buenos amigos entre los miembros de la iglesia y conducirlos a una relación más íntima con *Jesús*. Me consideraba como parte de un esfuerzo planeado por *Jesús* para poner a sus hijos en directa comunión con él. Como creía que era un cristiano renacido, que tenía una relación especial e íntima con *Jesús*, quería que mi "familia cristiana" experimentara esa misma relación. Estaba convencido que si todos los cristianos oían la voz de *Jesús* como yo la escuchaba, entonces el Evangelio se predicaría rápidamente, y el *Señor* regresaría para establecer su reino en forma permanente sobre este planeta.

Como parte de mi esfuerzo por aprender todo lo relacionado con las doctrinas cristianas, visitaba frecuentemente la librería cristiana de la localidad. Muchas veces me divertía hojeando los libros que intentaban desacreditar a la Nueva Era. Al leerlos con interés, incluso los encontraba divertidos. Aun cuando me consideraba un cristiano renacido, todavía me identificaba con la Nueva Era. Creía que poseía el "Evangelio completo", una fusión de las ideas de la Nueva Era y las del Cristianismo.

Mientras leía los libros que combatían a la Nueva Era, escritos por mis "hermanos" cristianos, anhelaba tener poder suficiente para convencerlos de que realmente no existía ningún conflicto. Deseaba que comprendieran que la Nueva Era y el Cristianismo no eran más que brazos separados del Gran Plan de *Dios* para reconciliarse con la humanidad.

Aun cuando yo me consideraba miembro de la Nueva Era, la voz interior me prohibía que confiara este secreto a otras personas. Durante mi ministerio en la playa Venice, muy a menudo me encontraba con vendedores ambulantes de música y joyería de fantasía de la Nueva Era. Deseaba detenerme y compartir con ellos el hecho de que yo también era de la Nueva Era. Sin embargo, cada vez que trataba de acercármeles, mi yo superior me lo prohibía inmediatamente, diciendo: "No, no lo hagas". Era como si sólo se me permitiera presentar una imagen cristiana a la gente con quien me encontraba.

Jeff era otro amigo a quien conocí en la Capilla de la Esperanza. Era un joven brillante de unos 20 años, a quien le gustaba hablarle a la gente con quienes se relacionaba acerca de su *Señor*. Cuando le relaté las experiencias místicas y los resultados de la práctica de la meditación cristiana, quedó fascinado.

Wayne, el hombre que me habló primero acerca de la Capilla de la Esperanza, era otro cristiano muy consagrado en quien traté de influir. El llevaba siempre consigo su Biblia y le gustaba compartir la Palabra de Dios con la gente con quien se encontraba. El y yo también llegamos a ser buenos amigos.

Le dije a Wayne que su estudio de la Biblia era una excelente práctica, pero le aseguré que había algo mucho más grande que la Santa Escritura a su alcance.

Se entusiasmó cuando le dije que podía experimentar en forma real la presencia de *Dios* y escuchar la voz del *Espíritu Santo*. Apoyé mi posición recordándole que Jesús dijo a sus discípulos que el reino estaba dentro de ellos.

Marantz.

La palabra sonaba en mi mente desde el momento en que me desperté. ¿Marantz? ¿Qué es Marantz? Nunca antes la había oído.

La palabra siguió resonando en mi mente durante el desayuno. Pensé que quizá sería el nombre de un nuevo modelo de automóvil, cuyo anuncio había oído por la radio.

Esforzando mi mente por desentrañar el significado de Marantz, concluí finalmente que debía ser un nuevo modelo de automóvil japonés. Comencé a preguntarme si no sería que *Dios* me estaba indicando que pronto necesitaría un nuevo carro.

Ese mismo día, poco después, fui al servicio vespertino del domingo en la Capilla de la Esperanza. Al hojear los anuncios del boletín de la iglesia, un ominoso temblor me recorrió toda la espina dorsal al leer la primera línea.

Marantz.

En venta un *estéreo* para carro...

"Cáspita, el *Espíritu Santo* ha estado obrando otra vez", exclamé, sabiendo que el nombre Marantz había sido implantado en mi mente la noche anterior. Consideré el incidente como una indicación del *Espíritu Santo* de que debía ponerme en contacto con la persona que anunciaba el *estéreo.*

Llamé al vendedor y le pregunté acerca del aparato. Me dijo que su nombre era Greg y me pidió que viniera a su negocio a ver el sistema Marantz.

Al entrar en su departamento lo examiné rápidamente para descubrir cualquier señal que me dijera por qué se me había enviado allí, claves como libros de la Nueva Era, etc. Inmediatamente descubrí un gran libro que estaba sobre la mesa; un libro acerca de la India. "Hummmm —pensé—, interesante".

La voz interior me dijo que no comprara el *estéreo*, sino que sólo hiciera buenas relaciones con Greg. Durante nuestra larga y amistosa conversación, comencé a especular con la idea de que él estaba destinado a ser miembro del grupo de meditación que yo aspiraba a formar en la iglesia.

Poco después de visitar a Greg, mi misión clandestina de introducir en la Capilla de la Esperanza las enseñanzas de la Nueva Era, llegó a un final repentino. Mis padres, que desde hacía mucho sospechaban que yo andaba metido en una religión cuestionable, habían estado orando por mí en forma permanente. Además, un desconocido oró por mí en una reunión evangélica en un momento muy crítico. Estas oraciones promovieron una extraña acción del Espíritu Santo que resultó en una dramática e inesperada iluminación para mí. El resultado fue increíble: mis doce años de relaciones con la Nueva Era se desplomaron de pronto, estrepitosamente, cuando las horribles redes del engaño satánico se hicieron añicos.

14

Desenmascarando a la mente maestra del engaño

No vayas —me exhortó la voz de la conciencia.

Yo estaba pensando asistir después del trabajo a una campaña evangelística especial.

—Esta noche debes testificar por mí en el centro comercial —ordenó la voz.

Yo deseaba mucho asistir a la campaña evangelística, de manera que decidí ignorar la voz interior.

Desde hacía unas dos semanas se había estado produciendo una tensión dentro de mí. Sentía que *Jesús* quería que dedicara aún más tiempo y esfuerzo de lo que podía a su obra. Y una especie de rebeldía comenzó a crecer dentro de mí, como si otra fuerza estuviera actuando y dando órdenes contrarias a las de *Jesús*.

Asistí a la reunión evangelística en abierta oposición a la voz de la conciencia. Esta se llevó a cabo en el amplio auditorio de un colegio de la ciudad.

Durante la reunión me senté junto a una mujer que tenía aproximadamente treinta años de edad. Al final de la reunión me preguntó con una voz muy suave.

—¿Le gustó la conferencia?

—Sí, estuvo bastante buena —repliqué—, pero creo que sus ideas corresponden a una mentalidad muy estrecha.

La verdad es que me había sentido incómodo durante la participación del evangelista. Cuando terminó, yo estaba muy agitado debido a esta posición fundamentalista, y decidí ser más abierto y activo con mis creencias de la Nueva Era. Me prometí contraatacar estas herejías difundidas por los fundamentalistas en el nombre de mi Maestro.

La mujer preguntó tranquilamente:

—¿Cuáles son sus puntos de vista religiosos?

—Soy cristiano de la Nueva Era —le respondí a boca de jarro.

Esta era la primera vez que hacía una declaración semejante a un creyente cristiano. La voz interior de la conciencia siempre me había advertido que no hablara abiertamente acerca de mis creencias en la Nueva Era. Pero después de escuchar al evangelista me sentí furioso y no pensaba permanecer callado ni un momento más. El predicador, sin saberlo, había encendido las llamas de la pasión y la ira en mi interior.

Para mi sorpresa, la mujer no expresó ningún disgusto por mi respuesta.

—Oh —comentó con sencillez—, yo también estuve involucrada en la Nueva Era, hasta que vine al Señor.

Por la forma en que lo dijo sentí que ya no le interesaba la Nueva Era.

—Bueno, usted no debería sentirse mal por eso —dije honestamente. La Nueva Era tiene algunas excelentes ideas y verdades. La mayoría de los que creen en ella carecen del verdadero poder de *Jesucristo* en sus vidas.

Ya que ella no contestó, le pregunté cortésmente.

—¿A cuál iglesia asiste usted?

—A la Iglesia del Camino.

—Oh, sí —le interrumpí—, la iglesia de Jack Hayford. La conozco. Nunca he estado allí, pero a veces escucho a Jack por la radio.

—En cuanto a este cristianismo de la Nueva Era que usted me menciona —dijo la mujer—, ¿no le molestaría si oro por usted en este momento? Ignoro sus creencias, pero me gustaría orar por usted.

—Claro, por supuesto que podemos orar —repliqué, pensando que nunca me vendrían mal algunas oraciones extras que fortalecieran mi ministerio.

La mujer me tomó de las manos mientras orábamos. "Querido Padre Celestial —fueron sus primeras palabras—. Te pido que le des sabiduría a este hermano, para que pueda percibir la verdad. Ayúdale a comprender perfectamente tu Palabra. Pido que el poder del Espíritu Santo obre en su vida, dirigiéndole al verdadero conocimiento de Jesús. Todo esto te lo pido en el Nombre de Jesús. Amén".

Qué bonito se siente cuando alguien ora por uno, pensé, mientras abandonaba el auditorio. Aun cuando tenía una estrecha relación con *Jesús*, deseaba estar más lleno de su poder y de su verdad.

Más o menos al cabo de una semana después de la campaña evangelística me preparaba para salir del trabajo al final del día. "No vayas a la biblioteca —me ordenó la voz de la conciencia—. Debes ir a testificar en el centro comercial esta noche".

Fui indiferente a la voz de la conciencia que ya no era muy bienvenida. "Tienes que hacer mi obra —me ordenó con firmeza, como si fueran las palabras de *Jesús*—. El tiempo se acaba. Tienes que lograr establecer tu ministerio".

El espíritu que se rebelaba a la voz interior surgió de nuevo. Esta noche en particular ignoré obstinadamente sus indicaciones. En el centro de mi mente empezaba a formarse un proyecto alternativo: deseaba leer un libro específicamente. Aun cuando la voz interior continuó exhortándome a ir al centro comercial a predicar, decidí obtener una copia de ese libro.

En principio, al leer la *Encyclopedia of American Religions* (Enciclopedia de las religiones en Norteamérica) de Gordon Melton, encontré una interesante sección donde se describía a una mujer que pretendía haber tenido visiones de Dios a mediados del siglo XIX. La idea de que una mística cristiana vivió antes de Madame Blavatski y Alice Bailey, despertó un profundo interés en mí. Sonaba como si hubiera sido una cristiana de la Nueva Era que hubiese vivido muchas décadas antes del comienzo del movimiento contemporáneo de la Nueva Era.

Pedí prestado de una biblioteca el libro *Ellen G. White, Prophet of Destiny* (Elena G. de White, profeta del destino), de René Noorbergen.

Comenzaba describiendo una visión en la cual Elena de White vio el terremoto de San Francisco varios días antes que ocurriera. Las habilidades psíquicas, que al parecer tenía, me impresionaron y me impulsaron a seguir leyendo.

Más adelante seguía una discusión general con respecto a la diferencia entre la habilidad psíquica y la profecía. El autor analizaba a médiums psíquicos como Edgar Case, Jeane Dixon y Peter Hurkos, desde el punto de vista de la comparación de sus enseñanzas con las Sagradas Escrituras. Después venía una breve biografía de Elena G. de White.

Más tarde mi atención fue atraída por el capítulo titulado "Unmasking the Mastermind (Desenmascarando a la mente maestra)", que contenía la narración de una visión que Elena G. de White había tenido en 1858.*

Ella escribió:

"Satanás fue una vez un ángel a quien se honraba en el cielo, el que seguía en orden a Cristo. Su semblante, como el de otros ángeles, era benigno y denotaba felicidad. Su frente alta y espaciosa indicaba poderosa inteligencia. Su figura era perfecta, y su porte noble y majestuoso. Pero cuando Dios dijo a su Hijo: 'Hagamos al hombre a nuestra imagen', Satanás sintió celos de Jesús. Deseó que se le consultase acerca de la creación del hombre, y puesto que no se lo tomó en cuenta, se llenó de envidia, celos y odio. Deseó recibir los más altos honores después de Dios, en el cielo".

Me preguntaba si existía realmente un Satanás que se había rebelado en el cielo con un grupo de ángeles. Recordé que Muriel nos había hablado algunas veces de Satanás, de fuerzas malignas; es decir, aparentemente, Satanás era un ser real. En cambio, Djwhal Khul denunciaba como falsa la idea de que existiera un gran enemigo de Dios. Consideraba que el diablo no era más que un mito.

La narración de Elena G. de White llamó mi atención nuevamente:

"Hasta entonces todo el cielo había estado en orden, armonía y perfecta sumisión al gobierno de Dios. Rebelarse contra su orden y voluntad era el mayor pecado. Todo el cielo parecía estar en conmoción... Hubo contienda entre los ángeles. Satanás y los que simpatizaban con él luchaban por reformar el gobierno de Dios. Querían escudriñar su insondable sabiduría, y averiguar cuál era su propósito al exaltar a Jesús y dotarle de tan ilimitado poder y comando. Se rebelaron contra la autoridad del Hijo. Toda la hueste celestial fue convocada para que compareciese ante el Padre a fin de que se decidiese cada caso. Allí mismo se decidió que Satanás fuese expulsado del cielo, con todos los ángeles que se le habían unido en rebelión".

Comencé a reflexionar en la posibilidad de la existencia de un arcángel en el cielo llamado Satanás que se pusiera celoso y se rebelara contra Dios. Quizá Satanás moraba en algún lugar del planeta en el reino de los espíritus.

Luego seguí leyendo:

"Satanás se sorprendió de su nueva condición. Había desaparecido su felicidad. Contempló a los ángeles, quienes juntamente con él una vez habían sido tan felices, pero que habían sido echados del cielo con él. Antes de su caída, ni una sola sombra de descontento enturbiaba su perfecta felicidad. Ahora todos parecían cambiados. Los rostros que una

---

* La visión es conocida como *Visión del gran conflicto.*

vez habían reflejado la imagen de su Hacedor estaban sombríos y manifestaban desesperación. Entre ellos había lucha, discordia y amarga recriminación.

"Cuando Satanás comprendió perfectamente que ya no había posibilidad de volver al favor de Dios, comenzaron a manifestarse su malicia y su odio. Consultó con sus ángeles y se hizo un plan para luchar contra el gobierno de Dios. Cuando Adán y Eva fueron colocados en el hermoso huerto, Satanás hizo planes para destruirlos. Se decidió que Satanás debía asumir otra forma y manifestar interés por el hombre. Debía hacer insinuaciones contra la veracidad de Dios y crear dudas en cuanto a si Dios realmente quería decir lo que había dicho".

Bajé el libro, y medité por un momento en este fascinante relato acerca de la rebelión. ¿Se había rebelado Satanás realmente, y luego había sentido tristeza y desesperación por haberse separado de Dios?

Tomé el libro nuevamente y seguí leyendo.

"Satanás comenzó su obra con Eva, para inducirla a desobedecer... Tan pronto como Eva hubo desobedecido se convirtió en un medio poderoso para ocasionar la caída de su esposo...

"Entonces Satanás se regocijó...

"Las nuevas de la caída del hombre se difundieron por el cielo. Todas las arpas se silenciaron. Los ángeles, entristecidos, se quitaron la corona de la cabeza. Todo el cielo estaba en agitación.

"Satanás triunfó. Había hecho que otros sufrieran por causa de su caída. El había sido echado del cielo... Ellos del paraíso".

Mientras reflexionaba en cuanto si habría un Adán y una Eva que habían sido tentados por el diablo en el paraíso, recordé que, cuando era adolescente cristiano, había aceptado la verdad de que la vida comenzó con la creación de Dios tal como está registrado en el libro del Génesis. Pero por alguna razón yo había desechado la idea de que Adán y Eva habían sido tentados y hubieran caído. Era como si yo no quisiera aceptar la existencia de un Satanás que podía tentar a la gente. Me sentía un poco mejor con la idea de que la tentación era un proceso interno que ocurría dentro de la mente de una persona y que era causada por la necedad y la ignorancia.

Recordé que Muriel creía en el registro de la caída del Génesis. Basada en revelaciones de *Jesús*, nos dijo que el pecado de Eva fue una terrible catástrofe y subsecuentemente causó todo el sufrimiento que hoy envuelve al planeta.

Rápidamente retomé la narración de Elena G. de White.

"El dijo entonces a los ángeles que se había hallado un medio para salvar al hombre perdido; que había estado intercediendo con su Padre, y había ofrecido dar su vida como rescate y cargar él mismo con la sentencia de muerte, a fin de que por su intervención pudiesen los hombres encontrar perdón; para que por los méritos de la sangre y la obediencia de él a la ley de Dios, ellos obtuviesen el favor del Padre y volviesen al hermoso huerto para comer del fruto del árbol de la vida.

"Al principio los ángeles no pudieron alegrarse, puesto que su caudillo no les había ocultado nada, sino que les había declarado explícitamente el plan de salvación. Jesús les dijo que se interpondría entre la ira de su Padre y el hombre culpable, soportaría iniquidades y escarnios, que muy pocos lo reconocerían como el Hijo de Dios. Casi todos lo odiarían y rechazarían".

Dejando descansar mis ojos por un momento, pensé. De modo que así fue como el amado Jesús planeó redimir a la humanidad: El ofreció tomar sobre sí el karma del mundo y pagar el precio por medio de su propia muerte. Asombroso.

Yo estaba ansioso de seguir leyendo.

"Dejaría toda la gloria que tuvo en el cielo, para aparecer en la tierra como hombre, humillándose como tal, y relacionándose, por una experiencia personal, con las diversas tentaciones que asediarían a los hombres, a fin de saber cómo auxiliar a los tentados; y que, por último, una vez cumplida su misión como Maestro, sería entregado en manos de los hombres, para sufrir cuantas crueldades y tormentos pudiesen inspirar Satanás y sus ángeles a los malvados; que moriría de la más cruel de las muertes, colgado entre el cielo y la tierra como culpable pecador; que sufriría terribles horas de agonía, de la cual los mismos ángeles esconderían el rostro, pues no podrían tolerar el espectáculo. No sería sólo agonía del cuerpo la que sufriría, sino también una agonía mental con la que ningún sufrimiento corporal podía compararse. Sobre él recaerían los pecados del mundo entero. Les dijo que moriría, que resucitaría al tercer día y ascendería junto a su Padre para interceder por el hombre rebelde y culpable...

"Con santa tristeza consoló y alentó Jesús a los ángeles manifestándoles que más tarde estarían con él aquellos a quienes redimiese, pues con su muerte rescataría a muchos y destruiría al que tenía el poder de la muerte. Su Padre le daría el reino y la grandeza del dominio bajo todo el cielo y él lo poseería para siempre jamás. Satanás y los pecadores serían destruidos para que nunca pertubasen el cielo ni la tierra purificada..."

Sentí una profunda admiración y asombro a medida que apreciaba la obra que Jesús había realizado. Volviendo al libro, leí lo siguiente:

"Se me mostró a Satanás tal como había sido antes; un ángel excelso y feliz. Después se me mostró tal como es ahora. Todavía tiene una regia figura. Todavía son nobles sus facciones, porque es un ángel caído. Pero su semblante denota viva ansiedad, inquietud, malicia, desdicha, odio, falacia, engaño y todo especie de mal. Me fijé especialmente en aquella frente que tan noble fuera. Comienza a inclinarse hacia atrás desde los ojos. Vi que se viene dedicando al mal desde hace tanto tiempo, que en él las buenas cualidades están degradadas, y todo rasgo malo se ha desarrollado. Sus ojos, astutos y sagaces, denotan profunda penetración. Su cuerpo era grande, pero las carnes le colgaban fláccidas en la cara y las manos. Cuando lo vi, tenía apoyada la barbilla en la mano izquierda. Parecía estar pensativo. Se le entreabrieron los labios en una sonrisa que me hizo temblar por lo cargada que estaba de malignidad y satánica astucia".

Traté de figurarme la imagen de Satanás tal como la representaba Elena G. de White. De pronto me sentí desolado y enfermo con mi monumental descubrimiento.

—Es él —dije casi sin aliento—, es mi Maestro.

—He sido un seguidor de Satanás todos estos años.

Me estremecí de angustia al ver que todo mi mundo se desplomaba delante de mí, y me sentí como si hubiera sido lanzado desde un aeroplano sin paracaídas.

Al imaginar otra vez la perversa y taimada sonrisa de Satanás, un horripilante pensamiento cruzó por mi mente: Yo lo había visto iniciar su cristianismo falsificado de la Nueva Era; su mejor carta la usará al final al aparecer en nuestro planeta físicamente y pretender que él es Jesucristo; la "reaparición de Cristo", según la Nueva Era.

"Oh Dios —exclamé, conmocionado por la angustia—. Djwhal Khul y el Maestro que se hace llamar *Jesucristo* son ángeles de Satanás. Ellos me han estado engañando todos estos años". No había ninguna duda en mi mente: Yo había sido discípulo de Satanás; todo el movimiento de la Nueva Era y su falso cristianismo es un plan satánico muy hábil para obstruir la misión del verdadero cristianismo. De pronto comprendí que lo que en realidad está haciendo Satanás es preparar al mundo para su espectacular aparición en la cual millones y millones de personas lo proclamarán como el Cristo, el Mesías que ha regresado. En realidad será la aparición del Anticristo. Su magistral engaño.

Un texto bíblico brilló con intensidad en mi mente: "Falsos Cristos y falsos profetas aparecerán... para engañar aun a los escogidos, si fuera posible".

Destrozado por la angustia, horribles sensaciones me inundaban una tras otra al comprender nuevas cosas: Satanás y sus ángeles me habían estado preparando para ser un falso profeta. Yo me había convertido en su esclavo. Todos los así llamados Maestros de la Jerarquía nunca habían vivido como seres humanos evolucionados en los Himalayas ni en ninguna otra parte del mundo. Los Maestros y los otros espíritus de la Nueva Era no eran más que ángeles malignos disfrazados de ángeles de luz; son los mismos ángeles que fueron arrojados del cielo durante la gran rebelión de Satanás.

Al recordar la increíble visita de Djwhal Khul unos seis años atrás, comprendí que había sido totalmente engañado por el brillo de su apariencia y por la pretensión de que era un antiguo Maestro del Tibet, que tenía 350 años de edad, que había alcanzado finalmente la inmortalidad tras experimentar varias reencarnaciones sobre este planeta. Me estremecí al saber que Djwhal Khul nunca había vivido como un ser humano, sino que era un ángel satánico.

Me di cuenta que Djwhal Khul, siendo un ángel, podía tomar la forma humana y aparecer como hombre, e incluso tomar la apariencia de Jesús. Podía aparecer en su "cuerpo de luz" etérico, como se me había aparecido, o en su cuerpo de carne física, como se le había aparecido al principio a Muriel en 1963.

Me sentí como una persona a quien se le anuncia la muerte de un ser querido; quedé aturdido y silencioso.

Los pensamientos comenzaron a agitarse en mi mente al considerar todo el dinero y todo el tiempo que había dedicado al movimiento de la Nueva Era; todas las horas gastadas en la meditación y el estudio. Todo había sido en vano. Todo cuanto se había logrado era asegurar mi destrucción eterna en el fuego eterno. Todos mis esfuerzos por conducir a la gente a *Jesucristo* en el *Cristianismo* de la Nueva Era no eran más que simples maniobras de Satanás para llevarlos al camino que conduce a la muerte eterna.

La rapidez con que surgían mis convicciones se parecían a varias conversiones registradas en el libro de los Hechos, la conversión de los 3,000 el día de Pentecostés, el encuentro de Saulo de Tarso con Jesús en el camino a Damasco, y la conversión del carcelero de Filipos.

Me quedé sentado inmóvil, en silenciosa introspección, durante muchas horas, y me di cuenta que los bancos de memoria de mi mente fluían como una represa cuyas compuertas hubieran sido abiertas. Comencé a repasar mi juventud, recordando los pasos largo tiempo olvidados que me habían alejado poco a poco de las enseñanzas cristianas y me habían arrojado al mundo del misticismo y de lo oculto.

De repente, un recuerdo muy profundo afloró, que me horrorizó por sus implicaciones. El recuerdo de la visita que hice de jovencito a un cine que pasaba una película acerca de la adoración del diablo. Había olvidado por completo ese incidente ocurrido en mi vida, como si su recuerdo hubiera estado sepultado profundamente en mi subconsciente. Tras el trauma de mi dramática salida de la Nueva Era, el recuerdo afloró con vívida claridad.

Yo tenía 15 años en ese tiempo, y la vida me parecía un tanto aburrida. Todo lo que proyectaban en la televisión me parecía una existencia interesante y dinámica. Ello me creaba un deseo de experimentar fuertes emociones que contrarrestaran el surco trillado y mundanal que, al parecer, estaba recorriendo.

En la acera de enfrente de mi escuela secundaria había un cine que se especializaba en proyectar películas de terror, especialmente las del tipo Frankenstein. Al leer los cartelones, pensaba en cuán emocionante sería ver algunas de ellas, ya que por ser tan horribles, no las pasaban por la televisión. Desobedeciendo el consejo de mis padres asistí a aquella sala en varias ocasiones.

Al recordar claramente las escenas de esa película —*The Devil Rides Out* (el Diablo anda suelto) específicamente referente a la adoración del diablo, me horroricé al comprobar que era la responsable directa de mi iniciación en el camino hacia el mundo de lo oculto. En ella había dos personajes principales. El primero de ellos era un joven que estaba siendo seducido por un grupo de adoradores del diablo. Su antagonista era un mago moderno ocultista. El era el personaje "bueno" de la trama, e intentaba rescatar al joven a fin de evitar que se enredara con los satanistas influyentes.

La crisis del film se centraba en un gran festival planeado por los adoradores de Satanás, durante el cual invocarían la presencia personal del diablo para que los bendijera con mayor poder y riqueza. Como parte del festival, se había programado la ceremonia de iniciación del joven a fin de que llegase a ser miembro completo de la secta.

La película mostraba a los del culto satánico llegando a la escena de adoración en sus hermosos Rolls Royce antiguos, resplandecientes como diamantes. En un claro del bosque ardía una gran fogata. Cerca del fuego edificaron un altar dedicado a Satanás.

Recuerdo que yo estaba fascinado por la trama. Como un jovencito aburrido que era, el estilo de vida excitante y el drama vivido en ella me dejaron hondamente impresionado.

Sentado en íntima introspección, mientras recordaba vívidamente las escenas de la película, tuve la convicción de que algo sutil y siniestro me había ocurrido mientras la veía. Una poderosa semilla de fascinación con lo oculto y lo místico se había sembrado en mi alma. La semilla no germinó durante muchos años. Pero estaba profundamente arraigada y me llevó poco a poco hacia el mundo encantado de lo místico y lo oculto.

Al reproducir el tema del film en mi memoria tuve la poderosa convicción de que aquel día, al concentrarme en la película, había iniciado una relación definida con Satanás. Había yo cruzado sutilmente un umbral subconsciente en el cual mi naturaleza interior había aceptado la idea del misticismo como un medio para obtener poder personal. Había sido preparado para tragar entusiastamente las seducciones de Satanás por medio de los metafísicos de la Nueva Era.

Me estremezco cuando pienso en lo que está pasando actualmente en los cines. Hoy las películas místicas y de ocultismo son casi normales. Incluso episodios tan sencillos y aparentemente inocuos como los de *E.T.* y *la Guerra de las Galaxias* están empapados de conceptos místicos y ocultos. Por ejemplo, se sabe que Jorge Lucas, creador de la trilogía de *la Guerra de las Galaxias* estaba fuertemente influido por el libro *Tales of Powers* (Historias de las potencias) de Carlos Castañeda.* El relato que hace Castañeda de Don Juan, el indio exorcista, fue un libro que me motivó poderosamente para buscar a los shamanes de la Nueva Era en Los Angeles.

¡Qué irónico es que el mismo personaje "bueno" de la película *The Devil rides Out*, sea tan satánico como los adoradores de Satán, que son los supuestos "malos" de la trama del film! Ahora puedo ver cómo usa Satanás su brillante intelecto para engañar a los de la Nueva Era de modo que crean que son chicos "buenos" que tratan de esparcir la luz y la sabiduría en un mundo ignorante y perverso.

Satanás se ha anotado una enorme publicidad al inspirar a los medios masivos de comunicación para que lo representen como un ser repugnante y ficticio que tiene la forma de una bestia horrible. La película *The Devil Rides Out* representaba a Satanás como una bestia con cuerpo humano y cabeza de becerro. Otras imágenes comunes lo muestran como un horrible demonio rojo con cuernos, vestido con una capa negra y portando un tridente en la mano. Esta imagen es tan grotesca que la mayoría de la gente ha terminado por rechazar la existencia real de Satanás considerándolo como una figura puramente mítica. Aunque yo fui criado como cristiano, en un hogar cristiano, no creía en la existencia de Satanás. Poca gente está consciente de la verdadera naturaleza e identidad de Satanás: un ángel de luz que se parece mucho a la idea que uno tiene de cómo se vería Cristo.

Si las personas no se apoyan firmemente detrás de la verdad de la Biblia como la infalible Palabra de Dios, serán arrastradas por el engaño cuando Satanás apareza en su brillante forma angélica. Ellos piensan automáticamente que el gran ser de luz que aparece frente a ellos es

---

* *The Reincarnation Sensation*, pág. 16, por N. L: Geisler y J. Y. Amano, Tyndale House, 1986.

Cristo Jesús, o al menos uno de los grandes ángeles de Dios, no importa cuántas ideas antibíblicas comience a proponer el falso mensajero.

Cuando la misma manifestación se les aparece a los apóstoles de la Nueva Era, se sienten estimulados a enseñar filosofías que son sumamente engañosas. Tomemos, por ejemplo, a Paramahansa Yogananda, el gurú fundador de la secta Hindú/Cristiana, con sede en Estados Unidos, llamada Self Realization Fellowship (Confraternidad para la realización personal). Cuando un ángel satánico, haciéndose pasar por Jesús, lo visitó, Yogananda incorporó el *Cristianismo* a su religión pagana hindú, haciéndola así más engañosa y al mismo tiempo más aceptable para la mente occidental. Por medio de esta maniobra podía extraviar a mucha más gente.

Cuando usted considera, por ejemplo, que el 54 por ciento de los ministros religiosos de una de las denominaciones religiosas más grandes no creen que Satanás sea un ser personal que dirige las fuerzas del mal, no se puede extrañar de que la gente sea arrastrada fácilmente por sus maravillas, señales y milagros.* Porque si rechazan la idea de la existencia de Satanás, asumen la posición de que todos los milagros y maravillas de las manifestaciones religiosas deben venir de Dios.

Incluso si una persona cree en la existencia real de Satanás, la visita de un ser angélico tiende a inflar de tal manera su ego que se siente renuente a considerar la posibilidad de que el visitante no sea un ser divino enviado por Dios.

Durante unas dos semanas después de haberme dado cuenta que había sido discípulo de Satanás, me vi inundado de recuerdos de cómo desde mi niñez y adolescencia me hice más y más rebelde contra las enseñanzas cristianas y las buenas cualidades de mi carácter. Por ejemplo, comencé a maldecir y a usar un lenguaje obsceno para adecuarme más a los hábitos de mis compañeros de juego. Y llegó un tiempo en que estaba tan inmerso en el pecado y la mundanalidad, que el diablo pudo tomar el control de mi vida y dominarme completamente.

Más tarde llegué a creer que mi entrada al "cristianismo místico" era una empresa que me traería más piedad y paz. Pero en realidad me estaba haciendo caer más y más hondo en la perversa trampa de la mente maestra.

Retrocedo horrorizado al pensar en lo que pudo haberme ocurrido en la venida de Cristo si no hubiera sido rescatado de mis creencias erróneas. Cuando la trompeta sonara, y el poderoso terremoto ocurriera,

---

* Una encuesta Gallup publicada en *Christianity Today*, 6 de junio de 1980.

y el ejército de poderosos ángeles del cielo apareciera, yo me hubiera considerado listo y ansioso de ser trasladado. Entonces habría seguido la terrible devastación y yo hubiera descubierto que no había sido trasladado. Entonces habría clamado lleno de desesperación: "Señor, Señor, ¿no prediqué en tu nombre? ¿No aparecieron grandes señales y maravillas en mi vida?"

Imagine el dolorosísimo choque que habría sido para mí escuchar las palabras, "Nunca te conocí. Apártate de mí, obrador de maldad".

Después de mi rescate de las tinieblas de Satanás, me sentía muy feliz de haber sido liberado y de conocer al verdadero Jesucristo, su misión, y su sacrificio en la cruz. En vez de ser un falso apóstol, ahora me uní a la iglesia cristiana Adventista del Séptimo Día, como pecador arrepentido.

Pedí disculpas a las personas cristianas con quienes me había puesto en contacto por haber tratado de descarriarlas. Después de revelarles mi identidad anterior y mi historia, se asombraban de saber que yo había sido un discípulo de Satanás con la Biblia en la mano. No se habían dado cuenta de que habían estado en la mira de Satanás para invadirlos secretamente.

En el tiempo cuando me aparté de lo oculto estaba yo tan afectado, que tuve que buscar consejo y apoyo de pastores y educadores cristianos. Pasaron muchas semanas de traumas antes de que yo empezara a sentir confianza en la victoria sobre los contraataques de la intimidación y el acoso de Satanás.

Mi salida de las redes de la Nueva Era y del engaño de Satanás no sólo incluyó drásticos cambios en mis creencias religiosas; también he experimentado cambios notables en mi fisiología.

Por ejemplo, yo siempre había considerado que el estéreo de mi nuevo automóvil no tocaba bien, a pesar de ser una unidad bastante costosa. Me parecía que el sistema no reproducía los tonos bajos. Yo había llevado el carro al taller para que repararan el estéreo, pero seguía igual.

Unas dos semanas después de repudiar la práctica de la meditación y las actividades metafísicas, noté que podía escuchar los ricos y profundos tonos bajos en el estéreo de mi automóvil. Era como si el dominio absoluto de Satanás hubiera producido cambios reales en mi fisiología. Estos cambios parecieron dar marcha atrás cuando me convertí en un seguidor del verdadero Jesús bíblico y dejé de practicar la meditación.

Ahora comprendo que el acto de involucrarse profundamente en las técnicas de elevación de la conciencia de la Nueva Era actúa en la mente de manera semejante a la cocaína. Por ejemplo, después de mi salida de la Nueva Era noté que durante más o menos un mes me sentía sumamente sensible a cualquier estímulo. Por ejemplo, el ruido de un restaurante atestado de gente me molestaba muchísimo. Era como los síntomas que siente la persona a quien le quitan las drogas de repente. Por eso llegué a la conclusión de que la práctica prolongada de las técnicas de la meditación había producido cambios muy sutiles, pero muy reales, dentro de mi cerebro, como si yo hubiera estado inhalando algún tipo de cocaína psíquica durante mi meditación. Sólo después de dos largos meses volví a la normalidad.

Cuando regresé al cuerpo de Cristo, en gran medida mi pensamiento tuvo que ser reprogramado. Yo había sido adoctrinado tan profundamente en las ideas metafísicas, que a veces era incapaz de discernir si una idea era bíblica o si la había absorbido durante mis años de adoctrinamiento en la Nueva Era.

Me sentía feliz de haber sido rescatado. Los ángeles de Satanás habían hecho de mi vida una pesadilla de opresión. Habiendo tomado el control de la voz de mi conciencia, podían intervenir en mi mente e influir sobre mis emociones en cualquier momento, transformándome en el esclavo de sus demandas. Cuando se rompió esa esclavitud, me regocijé en el alivio de recuperar el control de mi albedrío.

Me siento muy agradecido a Dios que envió su Santo Espíritu para que me inspirara a leer algo que rompió el poder de la mente maestra del engaño. Creo que la acción del Espíritu Santo llegó como respuesta a las fervientes oraciones de algunos cristianos devotos, especialmente de mis padres, que después de darse cuenta que yo había sido engañado habían dedicado muchos años a orar diligentemente por mi liberación. Estoy humildemente agradecido por sus oraciones. Estoy agradecido por la oración especial de aquella mujer en la iglesia de Jack Hayford.

Agradezco a Dios por haberme salvado a través del amor y la gracia de Jesús. Estoy agradecido por su Palabra, la Biblia, y por el poder de la oración que revela la verdad y nos protege del engaño y del mal. Estoy agradecido por la seguridad de estar algún día con Dios en los cielos llenos de gloria y reinar después con él en la tierra hecha nueva.

Digo con Pablo: "Y el Señor me librará de toda obra mala, y me preservará para su reino celestial. A él sea gloria por los siglos de los siglos. Amén" (2 Timoteo 4:18).

Me regocijo por haber experimentado en forma personal el cumplimiento de la promesa de Jesús: "Y conoceréis la verdad y la verdad os hará libres" (Juan 8:32).

Apéndice 1

Perspectivas de la Nueva Era

En esencia, considero que la Nueva Era es un sistema de falsa religión diseñado por Satanás como una atractiva alternativa del cristianismo. Su objetivo final es inducir a las iglesias a una gran apostasía en preparación para la aparición del Anticristo, quien se hará pasar por el Mesías con el fin de engañar tanto a cristianos como a prosélitos de dicho movimiento.

Fundamentalmente, la Nueva Era se basa primariamente en la filosofía hindú, adaptada convenientemente a la cultura occidental. Satanás ha disfrazado hábilmente el antiguo hinduismo dándole una nueva presentación, desprovisto de sus horribles y repulsivas deidades que debían ser aplacadas constantemente en los rituales hindúes tradicionales. En vez de invocar una plétora de dioses grotescos, la Nueva Era preconiza la adoración de un solo dios panteístico, a quien se presenta como el mismo Dios y Padre Altísimo de la tradición Judeo-cristiana.

En la religión de la Nueva Era, las enseñanzas cristianas se combinan con el antiguo paganismo, el ocultismo contemporáneo y el espiritismo, para producir un engaño mixto y multifacético.

Los elementos paganos comprenden la astrología, numerología, tarot, cábala y varios otros métodos de adivinación. Estas prácticas parecen haberse originado en Babilonia y Egipto durante la era del Antiguo Testamento, y la Biblia las condena expresamente.

Los elementos del ocultismo contemporáneo occidental derivan de fuentes tales como la teosofía y el rosacrucismo, corrientes bastante coloreadas por el paganismo antiguo. El ocultismo de la Nueva Era incorpora actividades pseudocientíficas muy modernas en su repertorio, tales como la fascinación que se siente por los cristales, las auras,

OVNIS (objetos voladores no identificados) y la parasicología.

Los elementos del espiritismo, particularmente la canalización de la Nueva Era, le añaden aspectos dinámicos y sensacionalistas. La aparente habilidad de los médiums para ponerse en contacto con los espíritus de los parientes muertos y los grandes espíritus guías constituye la base del engaño de la Nueva Era, en el sentido de que el mundo de los espíritus es real. Y por supuesto, lo es, pero con la diferencia de que los espíritus que se relacionan con los médiums no son las benévolas entidades que pretenden ser.

Muchas de las entidades de la Nueva Era enfatizan sólo una, o a lo sumo unas pocas, ramas bien seleccionadas del conocimiento en la actividad de esta organización. Frecuentemente los grupos de la Nueva Era defienden filosofías que, al parecer, compiten entre sí, pero sus discrepancias no constituyen ningún problema para Satanás, puesto que todas sus creencias son espurias, al margen de si los diversos grupos sostienen o no ideas conflictivas, con tal de que las víctimas potenciales encuentren atractivas algunas de ellas.

El movimiento de la Nueva Era no es una organización claramente definida. Es un título que expresa la existencia colectiva de todas las organizaciones e individuos que promueven las filosofías de ese movimiento. No cuenta con un liderazgo establecido ni posee una organización administrativa.

Satanás sabe bien que una organización establecida y claramente definida con filosofías homogéneas y coherentes crearía un serio problema. Sus críticos podrían confrontarla fácilmente y exponerla como una organización fraudulenta, camuflada bajo una apariencia de divinidad. Pareciera que Satanás, deliberadamente, con el propósito de evitar esta revelación, ha organizado su falsa religión mediante un sistema diversificado. Dentro de él, están millares de organizaciones independientes, cada una responsable de su propia mezcla de enseñanzas particulares, identificadas con la Nueva Era.

Muchas organizaciones aliadas comparten ideas similares con la corriente principal de la Nueva Era, pero en la práctica no se identifican con ella, ni existe ese nombre en su vocabulario general. Algunos ejemplos son, Unity School of Christianity, Christian Science (Churh of Christ, scientist), y Scientology (La Dianética de L. Ron Hubbard).

Satanás ha suscitado el movimiento de la Nueva Era con tal profusión de enseñanzas y prácticas, que al menos alguna de ellas apela a los diversos tipos de personas. Así, si el éxito financiero atrae a una persona, la variedad de seminarios sobre el potencial humano podría iniciarlo en el proceso de llevarlo al dominio de Satanás. Quizá cierta persona no sea atraída por la canalización, pero los ejercicios de "hatha yoga" pueden parecerle interesantes y útiles. Luego el "hatha yoga" puede conducirla a la meditación, la que a su vez la conducirá a la canalización, actividad que dicha persona consideraba, originalmente, sospechosa. Algunos se inician simplemente leyendo las predicciones astrológicas que publican los periódicos.

Tal vez alguien se pregunte por qué Satanás establece religiones falsas como el hinduismo y la Nueva Era. La explicación, al parecer, es que Satanás quisiera que todos fueran ateos.

Probablemente el enemigo tenga varios motivos. Uno de ellos, estoy seguro, es la supervivencia. Las religiones espurias constituyen una fuerte competencia para la predicación del mensaje cristiano evangélico, y procuran así alargar el poco tiempo que le queda a Satanás. Sin embargo, creo que el motivo fundamental por el cual Satanás promueve las religiones falsas lo describe perfectamente el profeta Isaías:

"Tú, que decías en tu corazón; subiré al cielo; en lo alto, junto a las estrellas de Dios, levantaré mi trono, y en el monte del testimonio me sentaré a los lados del norte. Sobre las alturas de las nubes subiré, y seré semejante al Altísimo" (Isaías 14:13, 14).

Satanás codició y deseó la posición de Dios en el cielo. A nivel humano, este pecado de la codicia, que causó la caída de Lucifer, se condena en el décimo mandamiento. Las religiones falsas constituyen avenidas por la cuales Satanás recibe una adoración que sólo le pertenece a Dios.

Parece mucho más que pura casualidad que uno de los principales dogmas del hinduismo y de la Nueva Era sea el concepto de que todos los seres humanos están en proceso de convertirse en dioses. Con el énfasis de esta filosofía pareciera que Satanás desea proyectar sus propios deseos en los motivos humanos. Satanás se esforzó por impulsar esta idea al principio de la historia humana en el Jardín del Edén. Durante la primera sesión de canalización que hubo en el mundo, Satanás, el espíritu guía Maestro, usó a la serpiente como su primer médium, para decirle a Eva, "serán abiertos vuestros ojos, y seréis como dioses, sabiendo el bien y el mal" (Génesis 3:5).

El hinduismo satánico no sólo endosa la idea de que el objetivo del hombre es llegar a ser dios, sino que además pretende que los grandes Maestros de la India fueron literalmente dioses encarnados en forma humana. Así es como intenta conferir el estatus de Cristo a sus más grandes líderes, a los superMaestros, conocidos como avatares. Incluso algunos de la Nueva Era creen que son dioses, y en consecuencia se sienten libres de crear su propio código de conducta y sistema de creencias, en vez de vivir bajo el código moral y la fe dados a la humanidad a través de la Biblia.

El "cristianismo" de la Nueva Era

Uno de los métodos mediante el cual Satanás tiene mucho éxito con su Nueva Era entre los cristianos es, precisamente, "cristianizarla". La "conversión" del *Camino Luminoso* es un buen ejemplo de cómo la Nueva Era intenta cubrirse con un manto de cristianismo, para lograr que su influencia sobre los cristianos sea más efectiva.

Sin embargo, no creo que Satanás "convierta" todos los centros de la Nueva Era en iglesias cristianas falsificadas. Es probable que la mayoría de los centros de la Nueva Era mantengan su énfasis en las tradicionales enseñanzas metafísicas. Sólo el tiempo revelará si Satanás tiene un plan general de dar a los demás centros un sabor cristiano.

Al repasar lo acontecido en el *Camino Luminoso*, parece que los ángeles satánicos, en forma deliberada, quisieron hacerlo pasar por una conversión falsa, ya que llegaron a la conclusión de que su mejor método sería actuar como una iglesia cristiana falsificada, inmersa en la tarea de guiar a los cristianos, ya iniciados o en potencia, hacia las falsas doctrinas o peligrosas prácticas de la meditación trascendental. El hecho de que creyéramos que éramos verdaderos cristianos nos hacía potencialmente más efectivos para ese cometido.

Para un cristiano en esas condiciones, la misma idea de la existencia de Satanás puede ser bastante atractiva. Su obra de engaño se hace evidente en el ateísmo, los grupos secretos, las drogas, el crimen, o la misma iglesia de Satanás. Pero es menos posible creer que él se exprese a través de organizaciones y personas así llamadas "cristianas".

Yo, como "cristiano" de la Nueva Era, había leído aquellos pasajes bíblicos que nos advierten contra los falsos profetas y sus enseñanzas. Pero nunca pensé seriamente que estuviera involucrado en ellos. El engaño ocurrió porque yo no creía que *toda* la Biblia debía ser comprendida tal como fue escrita. Es por ello que me fue fácil comprometerme con falsas enseñanzas y abrazarlas, aunque sabía que contradecían claramente las Escrituras.

Necesitamos orar fervientemente por nosotros mismos, por nuestra familia cristiana, y por los dirigentes de nuestra iglesia, a fin de que no seamos desviados por falsas doctrinas y espíritus seductores y sus seguidores. Pablo nos advirtió de este peligro en su carta a Timoteo: "Porque vendrá tiempo cuando no sufrirán la sana doctrina, sino que teniendo comezón de oír, se amontonarán Maestros conforme a sus propias concupiscencias, y apartarán de la verdad el oído y se volverán a las fábulas" (2 Timoteo 4:3, 4).

Apéndice 2

El poder psíquico de Satanás

¿Puede ser cristiana la meditación?

Hace varios meses dirigí una serie de temas al personal de un Centro de Comunicación que produce programas radiales y de televisión. Después de mi presentación, me sorprendí al oír a un miembro del personal decir que hacía poco tiempo un dirigente de un seminario los había visitado y les había dado una conferencia sobre las virtudes de la meditación. Inmediatamente después de su presentación obligó a sus oyentes a sentarse en silencio con los ojos cerrados para que pudieran oír la "voz del Espíritu Santo".

Otro Maestro de un seminario promueve la práctica de la meditación con este lema: "Si usted dedica una hora a orar a Dios, ¿no es lógico que dedique otra a escuchar en meditación silenciosa para oír su respuesta?" Uno que pretende curar por medio de milagros también promueve entusiastamente la meditación. La describe como el acto de oír interiormente la voz de Dios.

Estos teólogos y predicadores abogan por un tipo de meditación en la cual uno, deliberadamente, efectúa una rigurosa introspección silenciosa, intentando oír la voz del Espíritu Santo. Antes de explicar por qué considero peligrosa esta práctica, demos un vistazo a la naturaleza de la meditación introspectiva.

En un seminario de la Nueva Era presentado por un predicador "cristiano", el orador declaró que los miembros de este movimiento entran en un "estado de conciencia alterado" cuando meditan. También personas involucradas en los cultos orientalistas han expresado la misma idea. Considero que esta definición es correcta, aunque debo aclarar que "estado alterado" no significa necesariamente "estado místico".

Algunas personas pueden tener experiencias místicas durante la meditación, y pueden estar en un estado evidentemente alterado de la conciencia. Sin embargo, por mi propia experiencia, y por el conocimiento de la experiencia de otros miembros de la Nueva Era que han meditado durante muchos años, puedo decir que las experiencias místicas no son la norma. De hecho, conozco a personas de la Nueva Era que nunca han tenido una experiencia "mística" después de años de meditación. He llegado a la conclusión de que la meditación es, típicamente, un estado de relajación especial y no un estado de conciencia radicalmente alterado.

Hago énfasis en esto porque muchas veces los cristianos creen que la meditación es buena si no implica un estado místico. Pero si en general la meditación de la Nueva Era no es mística, ¿por qué no es apropiada para los cristianos?

El peligro de la meditación introspectiva radica en que el meditador está listo y receptivo para que una entidad angélica implante en su mente pensamientos, ideas e impresiones. Por mi propia experiencia creo que los ángeles satánicos tienen la capacidad de implantar pensamientos telepáticamente en la mente de un meditador sin necesidad de que se produzca un estado místico. El meditador experimenta sencillamente pensamientos o imágenes que se materializan en su conciencia y que él considera procedentes de su "yo superior" que, supuestamente, es el lado mental mediante el cual se comunica con Dios.

Creo que, en general, es imposible saber con seguridad si una cierta impresión recibida durante la meditación viene de Dios o de alguna otra fuente. La meditación brinda a Satanás una excelente oportunidad para ejercer sus engañosas manipulaciones. ¿Qué otra razón podrían tener los de la Nueva Era para promoverla tanto?

Mi "ministerio" en los centros comerciales y en la playa se centró en la tarea de alentar a las personas a practicar la meditación *cristiana*. Cuando me infiltré en la Capilla de la Esperanza mi objetivo era iniciar un grupo de meditación *cristiana* en la iglesia. Me animaba con la idea de que una vez que las personas comenzaran a meditar podrían oír interiormente la voz de *Dios*, en sus propias mentes, y que esto los lanzaría al campo de las ideas de la Nueva Era.

¿Qué dice la Biblia acerca de la meditación?

Con el propósito de convencer a la gente de los beneficios de la meditación, decidí escribir un pequeño folleto sobre la *meditación cristiana* y la Biblia. Estaba seguro de poder usar varios textos como apoyo a mi tesis. Después de escudriñar mi Biblia cuidadosamente me sorprendí de no poder encontrar un solo ejemplo bíblico de alguien que se hubiera sentado en silenciosa meditación, esperando que la voz de Dios le hablara instructivamente.

Lo que ocurrió fue que, tomadas en su debido contexto, todas las aplicaciones del término meditación que se dan en la Biblia evocaban una idea de pensamiento y contemplación acerca de la Palabra de Dios o de las cualidades divinas del Señor. La mayor parte de las referencias se hallan en los Salmos.

Cada vez que el salmista usa el término meditación se refiere a su contemplación intelectual de las Escrituras y la forma en que revela el carácter de Dios. Por ejemplo: "Pero yo meditaré en tus mandamientos" (Salmo 119:78). No hay en este contexto la más leve insinuación de que David escuchaba directamente la voz de Dios en el silencio de su meditación.

No hay un solo profeta del Antiguo Testamento que diga que se sentó en silencio y que tuvo que forzar su mente para ponerla en blanco a fin de oír la voz de Dios "interiormente" dándole un mensaje. En los casos de comunicación profética Dios tomó la iniciativa y se aproximó directamente al profeta.

Al no poder escribir mi folleto usando el contexto de la Escritura como referencia, decidí usar los textos de la Biblia fuera de contexto para apoyar mi defensa de la meditación para los cristianos.

Si yo hubiera revisado la librería cristiana local me habría ahorrado el trabajo de planear mi folleto, puesto que ya había un libro en circulación, *The Other Side of Silence: A Guide to Christian Meditation* (El otro lado del silencio: guía para la meditación cristiana), de Morton T. Kelsey, quien promovía la meditación *cristiana*. De este libro, que se usa comúnmente como texto en clases de teología, ya se han vendido más de 100,000 ejemplares. Irónicamente, el libro contiene numerosas referencias a los escritores de la Nueva Era. Por ejemplo, el primer autor que aparece en la lista de reconocimientos de Kelsey es Roberto Assaglioli, médico fundador de la Psicosíntesis, un tema muy popular en los seminarios de la Nueva Era. Assaglioli, que es uno de los pioneros del movimiento de la Nueva Era, cita a menudo las enseñanzas ocultas de Alice Bailey y Djwhal Khul.

Una investigación honesta revelaría que la meditación del tipo oriental no tiene bases bíblicas ni históricas en la iglesia cristiana. Hasta donde sé, no existe ningún registro de que los apóstoles, los padres posapostólicos, o los grandes reformadores, como Martín Lutero, Calvino, Tyndale, o Wesley la hayan practicado.

La meditación introspectiva puede considerarse como un canal directo al mundo de las tinieblas. La sinceridad de los predicadores que la promueven no elimina el hecho de que están extraviados y en peligro de convertirse en agentes de Satanás, si es que no lo son ya.

Para mí, la práctica devocional adecuada para los cristianos, la que la Biblia recomienda, es la lectura y la contemplación de las Escrituras y la oración ferviente.

Experiencias místicas

Cuando los de la Nueva Era tienen una experiencia mística durante la meditación, no creo que sea porque el meditador tenga el poder inherente de producir esa experiencia, como por ejemplo, entrar voluntariamente en un estado alterado de conciencia, y aun algo más profundo. Mi opinión es que un agente satánico lanza algún tipo de poder psíquico sobre el que medita. Y entonces este poder, que es de origen externo, produce los efectos místicos, como el ver una luz brillante o experimentar un gozo y una paz inefables. Por tanto, las experiencias místicas dependen de la voluntad de actuar de un ángel externo, y no de la voluntad, la intención, ni la actuación del meditador.

Muchos miembros de la Nueva Era se sientan en meditación durante horas, esperando alcanzar un estado de Nirvana o arrobamiento. Pero a menos que un ángel satánico tenga un motivo poderoso para darles esta clase de sensación, como, por ejemplo, fortalecer la fe del meditador, bien podrán pasar horas sentados en silenciosa meditación y nunca sucederá nada.

La meditación oculta que intenta atrapar a los cristianos

Bajo la influencia de libros como *Guide to Christian Meditation* (Guía para la meditación cristiana) de Kelsey, muchos cristianos se encuentran ahora involucrados en la práctica de la meditación que aparenta ser muy cristiana en forma y fondo.

Cuando el *Camino Luminoso* se "convirtió" en un grupo *cristiano* falsificado, abandonamos nuestro ritual de meditación ocultista, y en su lugar practicamos una meditación con un lenguaje figurado que parecía muy cristiano. Por ejemplo, simplemente visualizábamos una cálida luz solar brillando sobre nosotros y nos imaginábamos sentados en un hermoso jardín.

Luego comenzaban las instrucciones: "Invite a *Jesucristo* a su jardín. El es quien lo protege de todas las malas asechanzas. Háblele, preséntele sus necesidades, pídale lo que su corazón desea".

Después se nos instaba a que serenamente "oyéramos a *Jesús*. El le hablará. Este es el inicio de una relación con *Cristo* que lo llevará a la inmortalidad".

Al final de la meditación se nos animaba a repetir el Padrenuestro o estas palabras: "*Padre*, soy tu hijo. Mi nombre fue escrito en el libro de la vida mucho antes que los fundamentos de la tierra fueran echados. Gracias *Padre*, en el nombre de *Jesús*. Amén".

Este rito era muy engañoso. El promedio de los cristianos probablemente no encuentre nada serio que objetar en las frases usadas. Sin embargo, este procedimiento fue invento de Satanás, diseñado para llevar a la gente a aceptar la voz de los demonios como si fuera la del Espíritu Santo. Con esta clase de devoción falsa el engañador tratará de extraviar aun a los escogidos.

Apéndice 3

La venida del Anticristo

¿Habla la Biblia de una gran apostasía? ¿Puede demostrarse que la Nueva Era es el instrumento que preparará el camino para la aparición del Anticristo?

Benjamín Creme, dirigente de la Nueva Era y seguidor de las enseñanzas de Alice Bailey, puso un anuncio de página entera en los periódicos más importantes del mundo en 1982. El mismo decía que *Cristo* había regresado, que vivía en Londres en persona, y que muy pronto se revelaría como el "Mesías", cuando las circunstancias así lo permitieran.

Aunque Creme le da a su *Cristo* el nombre de Maitreya, pretende que es el mismo Cristo que fue crucificado en Palestina hace unos 2,000 años.

El 23 de octubre de 1988, apareció un interesante artículo relacionado con Benjamín Creme en el prestigioso periódico *The Sunday Times*. La parte medular del artículo, titulado "El Mesías está vivo, goza de buena salud y vive en Londres", decía:

"Un periodista del *Kenian Times* acaba de llegar trayendo una fantástica noticia. En el mes de junio, Job Mutungi estaba presente en una reunión de oración en Nairobi, donde había más de 6,000 personas, cuando una brillante estrella apareció en el cielo.

"Muy poco después se presentó un ser de porte majestuoso vestido de blanco y barbado, habló durante algunos minutos, y luego desapareció. 'Todos los presentes allí reunidos unánimemente aseguraban que el hombre que se les apareció era Cristo', dijo Mutungi".

Al enterarse de que la aparición tenía mucha relación con el anuncio de Benjamín Creme, Mutungi voló directamente a Londres para hacer una investigación. Trajo consigo una fotografía del ser que apareció en Kenia. Pitchon* dice que es el mismo hombre que ella vio en Brick Lane (Londres).

Otro informe dice que esta aparición de *Cristo* tuvo lugar en la Iglesia de Bethlehem, en Nairobi.** Cuando leemos estos informes, en apariencia auténticos, se llega a la conclusión de que la iglesia cristiana ha sido inducida a creer que el misterioso visitante vestido de blanco era Jesús.

La iglesia cristiana ha sostenido durante mucho tiempo la creencia de que un Anticristo, haciéndose pasar por Cristo, aparecerá en el mundo. ¿Fue la aparición del hombre vestido de blanco en Kenia una manifestación del Anticristo? ¿Es el Maitreya de Creme, que vive en Londres, el Anticristo?

El Anticristo en la Biblia

El término *Anticristo* sólo se encuentra en las epístolas de San Juan. Por ejemplo, él escribe: "Hijitos, ya es el último tiempo; y según vosotros oísteis que el anticristo viene, así ahora han surgido muchos anticristos; por esto conocemos que es el último tiempo" (1 Juan 2:18).

Juan confirma aquí la existencia de una profecía que advierte a los cristianos acerca de un anticristo que vendría. En el mismo versículo parece diferenciar este Anticristo especial de otros anticristos que habían surgido en sus días. El versículo 22 nos dice que éstos eran los mentirosos que negaban que Jesús era el Cristo (el Mesías).

Juan entendió que la venida del Anticristo estaría relacionada con los eventos finales, aunque erróneamente creía que la última hora había llegado: una mala interpretación que también Pablo expresó en una ocasión.

En el versículo 27 Juan introduce el concepto de que los anticristos pertenecen a alguna clase de poder falsificador, o a una especie de unción, y contrasta el poder real de Jesús con el falso poder utilizado por los anticristos: "Pero ustedes tienen el Espíritu Santo que Jesucristo les ha dado, y no necesitan que nadie les enseñe, porque el Espíritu Santo mismo les enseña todas las cosas, y sus enseñanzas son verdad y no mentira... Permanezcan unidos a Cristo" (versión *Dios habla hoy*).

Pablo presenta en 2 Tesalonicenses una profecía clara y profunda concerniente a los eventos que ocurrirán antes de la segunda venida de Jesús:

---

* Una mujer que asegura haber tenido una visión de Maitreya (el Cristo), durante una conferencia de Creme en 1982.

** *Whole Life Times*, febrero de 1989.

"Pero con respecto a la venida de nuestro Señor Jesucristo, y nuestra reunión con él, os rogamos, hermanos, que no os dejéis mover fácilmente de vuestro modo de pensar, ni os conturbéis, ni por espíritu, ni por palabra, ni por carta como si fuera nuestra, en el sentido de que el día del Señor está cerca" (2 Tesalonicenses 2:1, 2).

Pablo habla aquí de una persona especial, el "hombre de pecado" (versión Reina-Valera, revisión 1960), que surgirá durante una gran "rebelión" (una "apostasía", o una caída de la fe, según la misma versión). Pablo enfatiza que la venida de Cristo no ocurrirá hasta que venga la apostasía y el hombre de pecado se manifieste. Hasta ahora, el Señor no ha regresado. ¿Será porque la profecía paulina aún no se cumplió?

En los versículos 7 y 8 Pablo habla acerca de un impedimento que será quitado del camino "y entonces se manifestará aquel inicuo, a quien el Señor matará con el espíritu de su boca, y destruirá con el resplandor de su venida". Por lo tanto el asunto tiene mucho que ver con "la última hora". Es probable que el hombre de pecado de Pablo y el Anticristo de Juan sean la misma persona.

Por su parte, el pasaje de Tesalonicenses describe lo que este hombre de pecado hará cuando se revele:

"El cual se opone y se levanta contra todo lo que se llama Dios o que es objeto de culto; tanto, que se sienta en el templo de Dios como Dios, haciéndose pasar por Dios" (vers. 4).

Algunos teólogos proponen la idea de que este "templo" será literalmente un nuevo templo físico construido en Jerusalén. Sin embargo, el apóstol Pablo dice en 1 Corintios que nuestros cuerpos son templos del Espíritu Santo, por lo tanto, la palabra no significa necesariamente un edificio. Si el Anticristo fuera a presentarse en un nuevo templo físico en Jerusalén, pienso que entonces el suyo no sería un super engaño como está profetizado. Yo creo que la expresión *templo de Dios* en el contexto cristiano es un símbolo que representa a todo el cuerpo de Cristo, y no un edificio en particular donde se reúne la iglesia.

Por otro lado, no sería realista que el hombre de pecado se hiciese pasar por el Padre o el Espíritu Santo. Por lo tanto, el hombre de pecado intentará hacerse pasar, casi seguramente, por Cristo.

El apóstol usa la palabra griega *apokalipto* por "revelar". Este verbo significa, "revelarse en una forma sobrenatural". Lucas usa la misma palabra para describir la segunda venida de Jesús (véase Lucas 17:30). Esto parece indicar que el hombre de pecado tratará de falsificar literalmente la venida de Cristo, idea que la iglesia tiene desde hace mucho tiempo acerca de la obra mentirosa del Anticristo. Tenemos la fuerte impresión de que el hombre de pecado de Pablo y el Anticristo de Juan son, en verdad, la misma persona.

Pablo indica que el poder del Anticristo está siendo restringido por alguien, quizá un ángel, o el Espíritu Santo, hasta que llegue el tiempo en que se revele, tiempo que, sin duda, es "la última hora".

"Pues el plan secreto de la maldad ya está en marcha; sólo falta que sea quitado de en medio el que ahora lo está impidiendo" (2 Tesalonicenses 2:7).

Luego el apóstol señala que la unción que acompaña a la venida del hombre de pecado es de Satanás, en virtud de la cual produce señales y milagros mentirosos.

"Inicuo cuyo advenimiento es por obra de Satanás, con gran poder y señales y prodigios mentirosos, y con todo engaño de iniquidad para los que se pierden, por cuanto no recibieron el amor de la verdad para ser salvos" (2 Tesalonicenses 2:9, 10).

Algunos teólogos protestantes creen que el hombre de pecado representa simbólicamente al papado, institución que se apoderó del templo de Dios (la iglesia) y estableció a los papas que expidieron decretos, presumiendo que hablaban con plena autoridad divina. Técnicamente los papas pretendieron ser los voceros de Dios cuando hablaron ex cátedra, es decir "sentados en su silla".

Según Pablo, el hombre de pecado se refiere más bien a una gran apostasía. ¿Se aplica este aspecto al papado?

Durante los años 867 a 1048 d. C. el Vaticano cayó en gran apostasía e impiedad. Por ejemplo, el papa Juan XII fue "culpable de casi todos los crímenes; violó vírgenes y viudas, de alta y baja condición, vivió con la concubina de su padre; convirtió el palacio papal en un lupanar; y fue muerto por el airado esposo de una mujer en el mismo acto de adulterio".*

En la época en que Martín Lutero inició la Reforma Protestante, el papa reinante era León X. Este llegó a ser arzobispo a los ocho años y cardenal a los trece. Negoció la silla papal, vendió dignidades eclesiásticas, y nombró como cardenales a niños de siete años. "No obstante, este hombre voluptuoso reafirmó la encíclica *Unam Sanctam*, en la cual se declara que todo ser humano debe estar sujeto al romano pontífice para ser salvo. Decretó la venta de indulgencias** por un precio fijo, y declaró que quemar herejes era un deber que Dios le había señalado".***

Si bien la profecía de Pablo dice que el hombre de pecado se rela-

---

* Citado de *Halley's Handbook* (Regency/Zondervan), pág. 774.

** La remisión del castigo por pecados que habían sido sacramentalmente absueltos..

*** *Id.*, pág. 780.

ciona con la apostasía, y esto en algunos aspectos coincide con la historia del papado, dudo que este pasaje se refiera en primer lugar a este poder. Existe una razón muy sencilla, el papado no realiza señales, maravillas y milagros por lo general. En segundo lugar, la venida del Anticristo es un evento que ha de ocurrir en los últimos días, mientras que el papado ha existido durante muchos siglos.

Algunos eruditos bíblicos relacionan en la actualidad al Anticristo con la Nueva Era y el "retorno" de su espíritu líder llamado "el Cristo" (Maitreya). ¿A esto se refiere la profecía paulina?

Pablo declara que el impostor se sentará en el templo de Dios (no en el de Satanás). El término "Templo de Dios", sugiere una institución cristiana. En contraste, el Maitreya de Creme es un *Cristo* de la Nueva Era, perteneciente a una institución de la Nueva Era. Las enseñanzas de Alice Bailey dicen que el *Cristo* de la Nueva Era *no* será una persona específicamente cristiana, sino una figura que tenga las cualidades de un político, sociólogo y líder espiritual que pertenezca a todas las religiones. Las canalizaciones que Creme ha hecho de "Maitreya", en general corroboran esta descripción.

El Maitreya de Creme y Bailey está siendo "revelado" por los de la Nueva Era en el ocultismo que dicho movimiento practica, lo cual difícilmente puede tomarse como una descripción del "templo de Dios". Desde el momento en que Maitreya se está manifestando en lo que puede llamarse el templo de Satanás, no cumple la profecía que identifica al verdadero Anticristo.

Un fondo que se adapta más a la manifestación del verdadero Anticristo se ve en la obra de las iglesias cristianas falsificadas, tales como el *Nuevo Camino Luminoso*. Ellas promueven a un falso *Jesucristo* cuyo propósito evidente es hacer una preparación para que el Anticristo sea revelado en un ambiente cristiano.

Permítaseme repasar mi experiencia vivida en el *Camino Luminoso* tras la misteriosa visita que el *Cristo* le hizo a la directora. Nuestro centro metafísico se convirtió en una organización con aires de iglesia cristiana. Su mensaje "evangélico" era el próximo retorno de *Jesús* al planeta tierra.

Se nos enseñó que Jesús es en verdad el Hijo Unigénito de Dios, y que regresará muy pronto para establecer su reino, el tan esperado milenio. Los espíritus nos dijeron que *Jesús* no regresaría tal como las iglesias tradicionales lo enseñan, basadas en sus "malas interpretaciones" de la Biblia. Predicábamos que *Cristo* no aparecería en los cielos con su ejército de ángeles y con sonido de trompetas, sino que aparecería en el mundo en forma humana, pleno de carisma, poder y sabiduría. Declarábamos que posiblemente un vapor etéreo, parecido a una nube, rodearía sus pies, y esto es lo que la Biblia quiere indicar con el término *nubes*. La descripción de este *Jesucristo* suena más como la de un *Cristo* falso destinado a hacer su aparición en un ambiente cristiano.

El Anticristo en el libro de Apocalipsis

El libro de Apocalipsis arroja mucha luz sobre la profecía del Anticristo de Pablo. Juan describe a una bestia con dos cuernos, semejante a un cordero, pero que hablaba como dragón.

"Después vi otra bestia que subía de la tierra; y tenía dos cuernos semejantes a los de un cordero, pero hablaba como dragón. Y ejerce toda la autoridad de la primera bestia en presencia de ella, y hace que la tierra y los moradores de ella adoren a la primera bestia, cuya herida mortal fue sanada" (Apocalipsis 13:11, 12).

En la Biblia un cordero simboliza a Cristo, el cordero sacrificial; y un dragón simboliza a Satanás (véase Apocalipsis 20:2). Por tanto, esta bestia que sube de la tierra se parece a Cristo, pero habla con la voz de Satanás. Al ejercer su autoridad, logra que los habitantes de la tierra adoren a la primera bestia. (Por ahora no se preocupen en identificar quién es la primera bestia, un animal semejante a un leopardo que tiene una herida mortal que fue curada.)

Resumamos el pasaje de 2 Tesalonicenses al que nos hemos referido arriba: El Anticristo falsificará el segundo advenimiento de Cristo (se parece a Cristo), usa el poder de Satanás (habla como un dragón), y se exaltará a sí mismo sobre todo lo que se adora (y estará en posición de obligar a otros a adorar otras cosas, como la primera bestia). Parecería que hay un paralelismo significativo entre 2 de Tesalonicenses 2 y Apocalipsis 13.

Apocalipsis	*2 Tesalonicenses*
"Y engaña a todos los moradores de la tierra con las señales que se le ha permitido hacer en presencia de la bestia, mandando a los moradores de la tierra que le hagan imagen a la bestia que tiene la herida de espada y vivió" (Apocalipsis 13:14).	"Inicuo cuyo advenimiento es por obra de Satanás, con gran poder y señales y prodigios mentirosos. Y con todo engaño de iniquidad en los que se pierden, por cuanto no recibieron el amor de la verdad para ser salvos" (2 Tesalonicenses 2:9, 10).

El paralelismo es asombroso. La bestia semejante a un cordero parece simbolizar mejor al Anticristo. Sin embargo, note que el simbolismo puede representar tanto al Anticristo, como a su institución. Los versículos 14 y 15 de Apocalipsis 13 arrojan más luz a fin de poder identificar al Anticristo.

"...Mandando a los moradores de la tierra que le hagan imagen a la bestia que tiene la herida de espada, y vivió. Y se le permitió infundir aliento a la imagen de la bestia para que la imagen hablase e hiciese matar a todo el que no la adorase".

Estos versículos nos dicen que el Anticristo (o la institución Anticristo) establece un cierto tipo de imagen que debe ser adorada. La negación a adorar a dicha imagen podría tener como consecuencia la muerte. Algunos teólogos conciben esta imagen como una gran estatua literal o un ídolo, que pueda hablar y ordenar a la gente a que la adoren. Sin embargo, un ídolo parlante parece demasiado obvio para ser un engaño efectivo dirigido a los cristianos contemporáneos. Es más probable que "la imagen de la primera bestia" sea un símbolo de algo más.

Antes de intentar aclarar la identidad de la "imagen de la primera bestia", consideremos qué simboliza la primera bestia misma, aquel animal parecido a un leopardo que recibió una herida de espada que después fue sanada.

Las opiniones de los eruditos difieren al respecto. Una interpretación protestante muy común, a la que me referiré, dice que la bestia semejante a un leopardo representa al papado. Como ya se mencionó antes, esta forma institucionalizada de religión se corrompió y formó alianzas políticas mutuamente benéficas con los poderes políticos y económicos que gobernaban el mundo en ese tiempo.[1] Estas alianzas tendieron al fortalecimiento del poder papal. Hablo de la Iglesia Católica Romana como institución. No me corresponde juzgar a ninguna persona en particular, sea ésta cristiana o no. Hablo de la Iglesia Católica en el contexto de la profecía del Nuevo Testamento relacionada con el papado como institución que promovió doctrinas y prácticas contrarias a la Biblia.

Además, no quiero ser dogmático acerca de mi propio punto de vista. Es posible que a medida que la historia avance algunas otras interpretaciones resulten evidentes. Por ahora, lo único que le pido es que estudie y considere esta proposición.

Suponiendo que la bestia semejante a un leopardo represente al papado, ¿cuál sería la imagen de la bestia? Yo creo que la "imagen" es un sistema reciente de religión espuria que en muchas maneras se parece al perverso sistema de religión simbolizado por la primera bestia (el papado). Yo sostengo la opinión de que este nuevo sistema de religión falsa será "establecido" mediante la infiltración de las ideas neopaganas dentro del cristianismo a través de la Nueva Era, exactamente como el papado fue erigido por la infiltración de las antiguas ideas paganas y el secularismo en la iglesia romana. El resultado final será un cristianismo mixto, orientado hacia la Nueva Era, que poseerá el poder y la influencia característicos del papado ejercidos durante la inquisición.

Históricamente, el poder del papado fue supremo hasta que la sede fue transferida a Avigñon, Francia, en 1304. En 1798 los franceses dieron un golpe demoledor al papado cuando el general Berthier arrestó y encarceló al papa Pío VI. Con respecto a esto, el conocido erudito, Dr. Henry Halley escribió: "El papado recibió de manos de Napoleón la humillación culminante, y la pérdida de prestigio del cual nunca se recobró. Sencillamente terminó con el poder político del papado en Europa".[2] Es posible que ésta haya sido la herida mortal a la cual se refieren los versículos 3 y 12.

Si se acepta que la primera bestia es el papado, resulta interesante notar que el Apocalipsis parece predecir que el Anticristo (o su institución) hará que la gente vuelva a adorar al papado: "Y hace que la tierra y los moradores de ella adoren a la primera bestia, cuya herida mortal fue sanada" (Apocalipsis 13:12). Puede ser que esta adoración no adopte necesariamente la forma ritualista orientada hacia el papa o el papado. Más bien podría significar el respeto, honor y *estatus* especiales concedidos al papado, como resultado de una amplia propaganda y aclamación de los medios masivos de comunicación.

Es posible también que la "adoración de la primera bestia" implique prácticas extrabíblicas de adoración introducidas por el sistema papal; por ejemplo, la adoración de ídolos. (Al compilar su catecismo el papado quitó el segundo mandamiento para introducir la adoración idolátrica en forma de veneración a las imágenes de María, Jesús y los santos.)

El papado nunca hizo a un lado la Escritura, sencillamente la ignoró, la torció y sustituyó para lograr sus propios fines. Lo mismo se ve hoy en el brazo falsificado del cristianismo que es el movimiento de la Nueva Era. Todavía está por verse cómo logrará apoderarse del poder político el sistema religioso producido por la amalgamación de la Nueva Era y el cristianismo, y de cómo usará ese poder para destruir a los santos (aquellos que permanecen fieles a Jesús), en un intento de imponer adoración y enseñanzas contrarias a la Biblia. Sin embargo, pienso que esos eventos podrían muy bien ser los de "la última hora" profetizados en Apocalipsis 13:12-15.

Reconocidos autores cristianos, como Texe Marrs y Dave Hunt, ya están advirtiendo acerca de la insurgencia de un poder dictatorial, un gobierno mundial patrocinado por las Naciones Unidas y controlado por la filosofía de la Nueva Era.[3] Los descubrimientos de Dave Hunt y T. A. McMahon, concernientes a la infiltración en proceso de las ideas de la Nueva Era en el cristianismo ortodoxo, son especialmente iluminadores.[4]

Aunque parece imposible que las filosofías satánicas de la Nueva Era puedan apoderarse de la iglesia cristiana, hoy sabemos que, de alguna manera, Satanás se las arregló para apoderarse de la Iglesia Católica institucionalizada, y convertirla en una ramera papal que enseñó doctrinas pervertidas mientras pretendía tener autoridad divina. La Biblia nos dice que durante el tiempo del fin una de las principales agencias que usará Satanás para lograr que la iglesia del Anticristo se apodere pronto del poder, será la manifestación de "grandes señales, de tal manera que aun hace descender fuego del cielo a la tierra delante de los hombres". No importa cuál sea la forma que tomen estas maravillas, sin duda alcanzarán su clímax cuando el Anticristo aparezca en persona y se manifieste sobre la tierra con tal poder, engaño y carisma, que muchos cristianos nominales lo proclamarán como el Cristo. Esta será la culminación del "poderoso engaño" predicho en Segunda de Tesalonicenses.

El Anticristo aparece a los cristianos nominales

Si bien la aparición de "Cristo" en la Iglesia de Belén en Kenya, es la primera aparición pública en una iglesia de un anticristo místico, hasta donde sé, me he sorprendido por la cantidad de cristianos "nominales" que informan haber sido visitados por "Jesús". Por ejemplo, mientras asistía a un campamento me hospedé en un motel rural. Durante una conversación casual la gerente me dijo que el año anterior había visto a "Jesús" mientras caminaba sola por las orillas del Lago Míchigan. En ese entonces acababa de morir su hija y ella todavía estaba sufriendo por eso. Dijo que de repente había visto a "Jesús" sentado en un gran tronco. El le pidió que ya no sufriera por su hija, pues ella estaba en el cielo y era muy feliz allí. Entonces "Jesús" desapareció.

Indagando sin inmiscuirme en su vida, supe que esta mujer no asistía regularmente a la iglesia. Me pregunté, si el Jesús verdadero se le hubiera aparecido a esta cristiana nominal, ¿habría permanecido en ese estado? Sencillamente no parece lógico. Si el "Jesús" que se sentó en aquel tronco hubiera sido el Cristo, con seguridad la mujer habría sido motivada por el Espíritu Santo a convertirse en una cristiana activa, ansiosa de asistir a la iglesia. Tuve que concluir que el *Jesús* de esta mujer era el Anticristo.

Me temo que el Anticristo se está apareciendo a muchos cristianos nominales, de modo que cuando haga su espectacular aparición, grandes multitudes lo reconocerán como el "Cristo", y proclamarán con grandes voces "¡El Señor está aquí. Cristo ha venido!"

El hecho de que el Anticristo se aparezca en forma aislada a los cristianos nominales, no significa que la venida del Señor sea inminente. Dios es el que decide cuándo vendrá el Hijo del Hombre. Como Satanás no controla el tiempo cuando estos eventos han de producirse, tiene que estar siempre listo para aprovechar su gran oportunidad de hacerse pasar por Cristo.

El libro de Apocalipsis describe la forma en que el Anticristo, o su institución, forzará a todos a recibir una marca en su mano o en su frente, de modo que una persona no pueda comprar ni vender a menos que tenga esta marca (véase Apocalipsis 13:16, 17). Esta marca, comúnmente conocida como la marca de la bestia, es el nombre de la bestia, o el número de su nombre (666). Se da una descripción de lo que ocurrirá a todos los que adoren a la bestia y a su imagen (el sistema religioso apóstata) y reciban su marca: "El también beberá del vino de la ira de Dios, que ha sido vaciado puro en el cáliz de su ira; y será atormentado con fuego y azufre delante de los santos ángeles y delante del Cordero" (Apocalipsis 14:10).

Los santos no adorarán a la bestia ni a su imagen, aun cuando su negativa les produzca pérdidas económicas y pruebas, incluso la muerte. El siguiente pasaje elogia a los santos que soportan la prueba y permanecen fieles: "Aquí está la paciencia de los santos, los que guardan los mandamientos de Dios y la fe de Jesús" (Apocalipsis 14:12).

Siendo que la apostasía en la cual se revela el Anticristo ocurrirá antes de "la venida de nuestro Señor Jesucristo y nuestra reunión con él", parece que los santos afrontarán algún tipo de tribulación antes de ese acontecimiento.

Pablo explica por qué las personas caerán y se unirán a la apostasía del Anticristo:

"Y con todo engaño de iniquidad para los que se pierden, por cuanto no recibieron el amor de la verdad para ser salvos. Por esto Dios les envía un poder engañoso, para que crean la mentira, a fin de de que sean condenados todos los que no creyeron a la verdad, sino que se complacieron en la injusticia" (2 Tesalonicenses 2:10-12).

La advertencia indica claramente que las bases de la fe y la práctica de la verdad están reveladas en la Escritura. Las señales y prodigios, la tradición, la profecía, y la nueva teología sólo son válidos si armonizan con la Escritura. "¡A la ley y al testimonio! Si no dijeren conforme a esto, es porque no les ha amanecido" (Isaías 8:20).

¿Quién es el señor Maitreya?

Si el Señor Maitreya de la Nueva Era no es el verdadero Anticristo, ¿quién es? Sospecho que sólo es un señuelo. Satanás es muy astuto.

Siendo que es una mente maestra, sabe perfectamente bien que los cristianos esperan la aparición del Anticristo. De modo que ha decidido presentar uno. De hecho, parece que sus planes son presentar a varios anticristos, sólo para producir mayor confusión. Maitreya es sólo uno de ellos. El reverendo Sun Myung Moon, de la Iglesia de la Unificación, parece ser otro. Moon, dice que a la edad de 16 años tuvo una visión en la cual "Cristo" le visitó. Desde entonces el reverendo Moon presume que es aquél a través de quien el mundo será salvo. Por supuesto, no es más que otro Anticristo puesto como señuelo.

La Nueva Era de Satanás parece desempeñar una doble función. Por una parte, promueve la apostasía dentro del cristianismo como para prepararlo para el gran engaño en el cual muchos cristianos (de nombre) aceptarán las enseñanzas del Anticristo como verdad divina. Al mismo tiempo presenta a un Anticristo señuelo (Maitreya), para acentuar ese engaño. Las iglesias son inducidas a decir que Maitreya es el Anticristo, mientras que el verdadero Anticristo se desarrolla en su seno.

Y sobre todo, el Maestro del engaño promueve dos operaciones paralelas. Sus ángeles incitan al crimen, la violencia, las drogas, la pornografía, la intranquilidad política, y toda clase de males imaginables. Simultáneamente, con mucha sagacidad, promueven y expanden la religión mundial falsificada en un esfuerzo por inducir a las personas con aspiraciones espirituales a alejarse de Dios el Creador.

Finalmente, Satanás jugará su mejor carta. El mismo actuará en la venida del verdadero Anticristo: un ser carismático, majestuoso y deslumbrante. Satanás mismo se hará pasar por Cristo. Este gran engaño parecerá ser la verdad, que sólo con el estudio de las Escrituras podrá ser discernido. Probablemente hará un dramático despliegue de poder sanador y citará frecuentemente pasajes de la Biblia, usando las mismas palabras del Cristo de Palestina. El instigador de todas las desgracias, sufrimientos, enfermedades y males del mundo se propone ahora ser su *salvador* en un acto culminante de supremo engaño.

Los *cristianos* que anteriormente vieron a *Jesús*, lo reconocerán y saludarán como el Mesías. Los ángeles malignos trabajarán frenéticamente para comunicar tanto a los de la Nueva Era como a los cristianos que *Jesucristo*, el verdadero *Cristo*, ha venido finalmente a establecer su reino, y todos se inclinarán ante él y lo adorarán.

Los malos espíritus convencerán a los musulmanes que el Imam Mahdi, largamente esperado, ha venido por fin; impresionarán telepáticamente a los budistas para creer que el *Jesucristo* es el quinto Buda, y éstos, a su vez, harán creer a los hindúes que *Jesucristo* es la encarnación de Krishna. Finalmente Satanás hará lo que siempre quiso lograr, ser adorado abiertamente como Dios. "Seré semejante al Altísimo".

Todo el mundo caerá de rodillas ante él y lo adorará, excepto, por supuesto, los santos. Ellos esperarán pacientemente a su Libertador. Ellos saben cómo vendrá Cristo: "Porque como el relámpago que sale del oriente y se muestra hasta el occidente, así será también la venida del Hijo del Hombre". "Entonces aparecerá la señal del Hijo del Hombre en el cielo; y entonces lamentarán todas las tribus de la tierra, y verán al Hijo del Hombre viniendo sobre las nubes del cielo, con poder y gran gloria" (Mateo 24:27, 30).

Hablando del tiempo de Juan, el revelador de la visión apocalíptica, Jesús anunció al mundo: "He aquí yo vengo pronto, y mi galardón conmigo, para recompensar a cada uno según sea su obra" (Apocalipsis 22:14).

REFERENCIAS

1. *Véase Halley's Bible Handbook*, págs. 731-733, donde se encuentra un resumen de las grandes apostasías del papado, especialmente las brutalidades del período de la inquisición.

2. *Id.*, pág 279.

3. Libros de Texe Marrs: *Dark Secrets of The New Age* (Crossway books, 1987); y *Mystery Mark Of The New Age* (Crossway books, 1988). Por Dave Hunt: *Peace, Prosperity and The Coming Holocaust* (Harvest House, 1983).

4. *The Seduction Of Christianity* (Harvest House, 1985).